学会提问

ASKING THE RIGHT QUESTIONS
A GUIDE TO CRITICAL THINKING 原书第10版

[美] 尼尔·布朗 斯图尔特·基利◎著 吴礼敬◎译

机械工业出版社
China Machine Press

图书在版编目（CIP）数据

学会提问（原书第 10 版）/（美）布朗（Browne，M. N.），（美）基利（Keeley，
S. M.）著；吴礼敬译 . —北京：机械工业出版社，2013.1（2015.11 重印）
书名原文：Asking the Right Questions: A Guide to Critical Thinking

ISBN 978-7-111-40659-4

Ⅰ. 学… Ⅱ.①布… ②基… ③吴… Ⅲ. 思维心理学 Ⅳ. B842.5

中国版本图书馆 CIP 数据核字（2012）第 289174 号

本书版权登记号：图字：01-2012-6065

M. Neil Browne, Stuart M. Keeley. Asking The Right Questions: A Guide to
Critical Thinking, 10th Edition.
ISBN 978-0-205-11116-9
Copyright © 2012 by Pearson Education, Inc.
Simplified Chinese Edition Copyright © 2013 by China Machine Press.
Published by arrangement with the original publisher, Pearson Education, Inc.
This edition is authorized for sale and distribution in the People's Republic of
China exclusively (except Taiwan, Hong Kong SAR and Macau SAR).
All rights reserved.

本书中文简体字版由 Pearson Education（培生教育出版集团）授权机械工
业出版社在中华人民共和国境内（不包括中国台湾地区和中国香港、澳门特别
行政区）独家出版发行。未经出版者书面许可，不得以任何方式抄袭、复制或
节录本书中的任何部分。

本书封底贴有 Pearson Education（培生教育出版集团）激光防伪标签，无
标签者不得销售。

机械工业出版社（北京市西城区百万庄大街 22 号　　邮政编码　100037）
责任编辑：邹慧颖　　　　版式设计：刘永青
中国电影出版社印刷厂印刷
2015 年 11 月第 1 版第 24 次印刷
147mm×210mm·8.5 印张
标准书号：ISBN 978-7-111-40659-4
定价：35.00 元

凡购本书，如有缺页、倒页、脱页，由本社发行部调换
客服热线：（010）68995261；88361066　　　　投稿热线：（010）88379007
购书热线：（010）68326294；88379649；68995259　　读者信箱：hzjg@hzbook.com

这本《学会提问》是一本非常经典的批判性思维读物，很出色地完成了传授批判性提问的技能这一目标，既简洁又全面，实践指导性强，会对同学们提供很大的帮助。想要去国外留学深造的同学，应该学习批判性思维，学会用批判性眼光去看待、评价问题，理性思考，扩展你的思维和眼界，丰富你的内心世界！

——俞敏洪（新东方教育科技集团）

教育的真正目的就是让人不断地提出问题、思索问题。

——哈佛大学名言

美国"神童"教育（天赋教育）的"童子功"入门第一招是"培养批判性的阅读能力"，第二招是培养"批判性的聆听能力"。在小学阶段还是作为一种行为习惯来培养，到了大学阶段就已经成为一种思维方式了。批判性思维能力的培养因而成为各高校尤其是研究型大学课程设计围绕的核心。

——《天赋教育在美国》

如果你不改变问问题的方式，你永远都不会成功。

——现代管理学之父德鲁克

提问题比回答问题更启发人的智慧。

——潘石屹

我管理公司是靠"发问"，不是靠"回答"。问答会启动对话，对话会刺激创新。如果你想要一个创新文化，那就多发问。

——谷歌 CEO 施密特

如何培养批判性思维？我的回答是：1）多问"how"，不要只学知识，要知道如何实践应用；2）多问"why"，突破死背知识，理解"为什么是这样"之后才认为学会了；3）多问"why not"，试着去反驳任何一个想法，无论你真正如何认为；4）多和别人交流讨论，理解不同的思维和观点。

——李开复

　　【美国某高中开学演讲】你们需要通过理科课程的学习，获取知识和解决问题的技能，治疗癌症和艾滋病，开发新能源技术，和保护人类的生存环境。你们需要从文科学习中培养洞察力和批判性思维，消灭贫困、愚昧、犯罪和歧视现象。

——美国总统奥巴马

　　学会批判性分析性的思维方法，坚守实事求是，是促使我不断探索经济学的真理的两个根本动因。希望同学们坚持真理而非教条，努力思考而非盲从，在现实世界中保持理想，不断进步。（2011年某学院毕业典礼上吴敬琏先生以"毕业以后"为题发表演讲。）

——吴敬琏

　　提问题，体现一个人的思考力、洞察力，反映了一个人快速分析问题的能力，更体现一个人不盲从的理性和积极的态度。在国网信通公司的发展中，我们尤其注重培养员工敢于提问、善于提问的勇气和能力，尤其是青年人，这是激励他们成长的方法之一。只有以"不唯上、不唯书、只唯实"的精神来推进工作，我们的事业才会成功，每个人才能永保生机和活力。学会提问吧！

——国网信息通信有限公司总经理、党组副书记　刘建明

目录

前言

第 1 章 | 学会提出好问题 // 001

很多影评家迫不及待地告诉我们，哪些电影不容错过，哪些电影不看为妙。可是他们的看法到底有哪些可以笃信不疑呢？你需要发展相关技能，树立正确态度，这样才能自行判断出哪些观点能为我所用，从而形成你自己的观点。

第 2 章 | 论题和结论是什么 //027

如果找不准作者、演说者的结论，你就会曲解别人的意图，这样做出的回应也就显得驴唇不对马嘴。

第 3 章 | 理由是什么 //042

只有问一问别人为什么持有这样的观点，并得到一个明确的答复，才能公正地判断为什么应该同意它。

第 4 章 | 哪些词语意思不明确 //059

如果每个词都只有一种潜在的含义，而且大家都认同这个含义，那么迅捷有效的交流就更有可能实现。可惜的是，大多数词语都有不止一种含义。

第 5 章 | 什么是价值观假设和描述性假设 //084

在所有的论证中，都有一些作者认为是理所当然的特定想法，但通常情况下他们却不会明说出来。就好像你眼看着魔术师把手帕放进了帽子里，出来的却是一只兔子，而你压根儿就不知道魔术师暗地里到底玩的什么把戏。

第 6 章 推理过程中有没有谬误 // 109

判断交流者的推理是不是以错误的假设为基础，是不是通过逻辑上的错误或带有欺骗性的推理来糊弄你，就要特别小心推理过程中的那些诡计花招。

第 7 章 证据的效力如何：直觉、个人经历、典型案例、当事人证词和专家意见 // 134

如果有人对出示证据这一简单要求的反应是怒火中烧或退避三舍，往往是因为他们觉得尴尬难为情，因为他们意识到，没有证据，他们对自己的看法本来不应该那样底气十足。

第 8 章 | **证据的效力如何：个人观察、研究报告和类比** // 158

从某种意义上说，所有类比都是错误的，因为它们做出了错误的假设：两样
东西在一两个方面有相似之处，它们在其他重要方面也必然会有相似之处。

第 9 章 | **有没有替代原因** // 187

人类都有这种强烈的倾向，愿意相信如果两件事紧随前后发生，那么第一件
事肯定导致了第二件事。比如你可能在写出一篇极出色的论文的同时戴了某
一顶帽子，所以现在你一逢到写论文就坚持非要戴同一顶帽子不可。

第10章 | **数据有没有欺骗性** // 207

当你遇到听起来让人动心的数字或者百分比，一定要当心！你可能需要其他信息来判定这些数字到底有多让人动心！

第11章 | **有什么重要信息被省略了** // 224

推理说服力不够强，并不是因为说出来的不顶用，而是因为省略掉的太关键。就像马所戴的一副眼罩，眼罩让马心无旁骛全神贯注于正前方的道路，但同时也阻止它去关注某些特定的信息——也许是至关重要的信息。

第 12 章 | **能得出哪些合理的结论** // 238

很少有重要的问题我们可以用简简单单的"是"或斩钉截铁的"不是"来回答。

前言

"我知道做个慎思明辨的人挺好的，会问很多恰到好处的问题也挺不错，可我就是不知道该问哪些问题，不知道怎么个问法。"很多人不知道怎样切实有效地提出一些**关键问题**，希望我们能提供较为详尽的指导，鉴于此，我们专门写了这本书来满足大家的需求。目前这本书已经是第 10 版了。只有公众都能批判性地思考问题，民主制度实行起来才会更加顺利。只有经过关键问题层层考验后形成的决定和看法，才让我们觉得更加理直气壮。

从开始写作时起，本书就一直处在改进和提高当中，30 多年来，我们不断汲取来自读者的意见和建议。一方面我们为本书的大获成功和来自许多国家许多读者的积极反馈而感觉无比振奋，另一方面又觉得任重而道远，觉得还需要付出前所未有的巨大努力来指导公众"提出恰当的问题"。新的意见和建议一多，哪些需要牢牢把握，哪些可以不予考虑，取舍也就变得越来越难。每天都有人想尽一切办法要说服我们，对我们死缠烂打，其中很多人都喜欢钻牛角尖走极端，他们的论说诉诸情感的部分多，诉诸理智的部分少。记不清在多少次的公开讨论中，我们遭遇到普遍的极度无视证据、语言草率、错把声高当有理的情况。满足于似是而非，或者说对真相漠不关心的态度正变得越来越普遍。

我们一心追求的是希望新版本既能保持这本书的主要特色，同时又能适应新的重点和读者不断发展的新需求。例如，我们首先最想做的就是保留本书简明扼要、清楚易懂以及篇幅短小的特色。经验告诉我们，这本小书出色地完成了它的既定目标——**传授批判性的提问技能**。这些技能的训练都是在轻松自然的讨论中展开的。（**我们的读者对象是普通大众，而不是什么专业人士。**）

40多年向学生传授批判性思维技能的经验也让我们确信，尽管读者能力有差异、术业有专攻，但只要用简单易懂的方法传授批判性思维的技能，他们很快就能成功将其应用于各种实践。在学以致用的过程中，**他们的信心逐步增强，在重大社会问题和个人问题方面做出理性抉择的能力也与日俱增，哪怕面对以前极少经历过的重大问题，也一样可以应付自如。**

本书最为显著的特色之一就是它的适用范围远远超出你的想象，延伸到形形色色的生活实践之中。很难想象这本书对哪一个专业领域派不上用场。事实上，根据以前的读者反馈，前九版曾广泛应用于法律、英语、制药学、哲学、教育学、心理学、社会学、宗教学及其他各种门类的社科课程，同时还普遍应用于无数的个人抉择当中。当外科医生说有必要做手术时，本书所倡导的"寻找关键问题的答案"这一步骤就可能变成生死攸关的大问题。此外，坚持练习这些批判性思维的问题也可以巩固我们不断增长的知识，有助于我们更好地发现世界万物运行的方式，更好地理解这些方式，教会我们怎样让世界变得更加美好。

本书新版的特色主要包括以下几点。

（1）我们继续在练习的前几篇文章里采取设问的方式来自问自答，即对所读的文章边进行批判性思考边加以解答，好比一个人正努力思考如何评价这篇文章，而读者则在这个人的脑海里旁观整个思考过程。我们认为比起简简单单让学生看一下答案，让学生切身"感受"一个人接受、拒绝、修正和组织这个答案的一点一滴的过程，可以为他们提供一幅更加现实的画面，向他们展示获取答案的批判性思维的真实过程。这里我们借用了著名教育家约翰·加德纳的重要比喻，他严厉批评某些教师和教练，只给学生看知识园地里采摘下来的缤纷花朵，而不给学生看那束呈现在眼前芬芳美丽的花朵的种植、除草、施肥和修剪的整个过程。

（2）我们同时强调了让对话能一直进行下去的重要性，例如，很多读者在与人交往时跃跃欲试地要练习自己批判性提问的能力，却发现并不是每个人都乐于接受批判性的探询。有些互动的方法能在批判性思考的人和演说者/作者之间激发出越来越多令人满意的对话，而另一些方法则难以奏效。我们建议读者采取不同的询问和聆听策略，以便对话顺利进行，而不是迫使对方关闭对话的渠道。比如，常常有被问的人这样来一句："你怎么单单就盯上了我呢？"让批判性探询的过程就此中止，没了下文。

（3）我们添加了许多新的例子和练习文章，更频繁地涉及当前的热点问题，体现批判性思维在现实生活中的价值和应用。

（4）第 10 版更注重使用批判性思维的技能来提高读者自身的书面和口头表达能力。这一新的强调重点拓展了批判性思维学习的新疆界。换言之，批判性思维的技能并不仅仅用来评价他人的论证，还能在形成我们自己论证的过程中发挥重要作用。每一章都会有一部分专门提醒读者，轮到你自己写作时（不论是说明文、议论文、毕业论文报告，还是在博客、网络论坛里的留言发帖），应当注意避免的种种问题。

（5）我们在本书的关键地方增加了更多的图表，以便为部分读者提供更强的视觉效果，这样更有利于他们的阅读。

虽然这本书主要是从我们的课堂教学经验中总结出来的，但它的目标在于指导每个人阅读和聆听的习惯。它旨在培养的种种技能，任何一个带着问题去读书的人都应该拿来当成理性决断的基石。本书反复强调的**关键问题**可以提高每个人的推理分析能力，不论其受过的正规教育有多少。你在书里的收获，相信会大大出乎你的意料。

尼尔·布朗

斯图尔特·基利

第 1 章

学会提出好问题

引言：一切从批判性思维开始

很多影评家迫不及待地告诉我们，哪些电影不容错过，哪些电影不看为妙。可是他们的看法到底有哪些我们可以笃信不疑呢？有哪位影评界的权威但凡做出结论一定会提供最令人信服的理由？

本书的几位作者都是铁杆影迷，但和你一样，我们也不想来者不拒地通吃每部电影。说到底，决定看哪部不看哪部电影还真是块硬骨头。为了让这块骨头好啃一点儿，我们常借助几个喜欢的网站。

可是，刚一登录这个网站，你马上就会发觉影评家的观点似乎从来就没有一致过。这个经历不过是万千世相的一个侧面而已。不论医生、立法委员、建筑师、水管工还是侦探，在特定情况下如果问及他们采取什么措施最为恰当，他们无一例外地要各持己见。他们意见相左，我们这些洗耳恭听的人又当何去何从呢？你将开卷阅读的这本书就包含了我们知道的最佳答案。你需要发展相关技能，树立正确态度，这样才能自行判断出哪些观点能为我所用，从而形成你自己的观点。

作为一个富有思想的人，对自己的所见所闻如何回应，你必须要做出选择。一种方法是不管读到什么还是听到什么都一股脑儿地接受，久而久之习以为常，你就会把别人的观点当成自己的观点，是他人所是非他人所非。但没人会心甘情愿地沦为他人的思想奴隶。

另一种更为积极进取也更令人钦佩的方法是提一些较有力度的问题，以便对自己所经历的东西到底有多大价值自行做出评判。本书的读者对象就是舍易就难选择后一种方法的人。我们会为你提供各种指导，教你应该提哪些问题，选择在什么时间提问。但现在，千言万语化作一句话：通往合理结论的道路往往从问题开始，并且一路都有问题相伴。

激发你的批判性思维

所谓批判性的聆听和阅读，即对自己耳闻目见的一切进行系统的评判，这需要一整套的技能和态度。这些技能和态度都建立在一系列环环相扣的关键问题上。我们会循序渐进地学习这些问题，而我们的最终目的是能将这些问题融会贯通，从而找出最佳的决断。理想的效果是，经常提出问题将成为你的身份标记和存在宣言，而不仅是你从书本上学来的一套本领。

批判性思维是本书使用的一个术语，其内容主要涵盖以下几方面：

> （1）有一套相互关联、环环相扣的关键问题的意识；
> （2）恰如其分地提出和回答关键问题的能力；
> （3）积极主动地利用关键问题的强烈愿望。

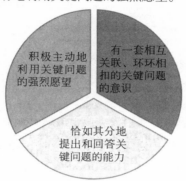

批判性思维的三个方面

本书的目的就是激发你朝这三方面全面发展。

问题一旦提出来，就要让被问对象给出一定的回答。通过提问，我们传达给被问对象的是："我对这个很好奇""我想多了解些""请帮帮我"。这样的要求体现了我们对他人的尊重。关键问题的提出，能让所有听到问题的人得到更多信息，引导讨论的方向。就此而言，批判性思维的起点在于有提高思维能力的强烈愿望。关键问题的提出还有助于提高我们的书面和口头表达能力，因为你将从以下几类情形中获益匪浅：

（1）客观评价图书、杂志及网站上读到的文章或论述，不盲从盲信；

（2）评判一场讲座或演说的水平高低；

（3）提出自己的观点并进行论证；

（4）通读指定文章后撰写有理有据的论文；

（5）积极参与课堂讨论。

两种思维方式：海绵式思维和淘金式思维

有种常见的思维方式因为类似于海绵放到水中的反应——充分吸收水分，而被称为**海绵式思维**。这种流行的海绵式思维有以下两个显著优点。

第一，吸收外部世界的信息越多，你就越能体会到这个世界的千头万绪，而你获取的知识将会为以后进一步展开复杂的思考打下坚实的基础。

第二，相对而言，这种思维方式是被动的，它并不需要你绞尽脑汁地去冥思苦想，因此来得轻松而又快捷，尤其当你看到的材料本身已是井井有条又生动有趣时，这种思维方式更显成效。要想成为一个有思想的人，被动吸收外部世界的信息确实为你提供了一个富有成效的起点，但海绵式思维却有个极严重、极致命的缺点：对各种纷至沓来的信息和观点如何做出取舍，它提供不了任何方法。如果读者始终依赖海绵式思维方式，他就会对自己最新读到的一切深信不疑。

我们认为，你一定愿意自己掌握主动权，选择该相信什么忽略什么。而要做出决定和取舍，你就得带着一定的态度去读书，即带着问题去读书。这种思维方式需要你积极主动地参与进来。

作者在向你细说原委，而你则随时准备与之辩驳，虽然作者本人根本就不在场。

我们把这种互动方式称为**淘金式思维**。淘金的过程为积极主动的读者和听众提供了一种可效仿的模式，他们得尽快决定自己的所见所闻到底价值几何。在一场互动的对话中披沙拣金，需要你不断地提问并思考问题的答案。

海绵式思维强调单纯的知识获取结果，而淘金式思维则重视在获取知识的过程中与知识展开积极互动。就此而言，两种思维方式其实可以互补。要想在知识的河流里淘出智慧的金子，你的淘金盘里首先得有点东西供你掂量才行。此外，要评判辩论分辨是非，我们还真得有点知识，也就是有点儿可以信赖的见解才行。

我们不妨更进一步，检视一下这两种不同的思维方式会导致怎样不同的行为。采取海绵式思维的读者通常怎样读书呢？他逐字逐句地细读，竭尽所能地记住所读材料。他可能在关键词和重点句子底下画上线，或用彩笔做标记；他可能做笔记来概括主题和要点；他不时复习书本上的画线部分或重温笔记，确保自己没有遗忘任何重要的知识点。他的主要任务就是找出作者的观点并充分加以理解。他记住作者说理论证的全部过程，但不对其做任何评价。

采取淘金式思维的读者又会怎么做呢？像采用海绵式思维的读者一样，他也希望在阅读的过程中获取新知识，但两者间的相同之处仅此而已。淘金式思维要求读者问自己一系列既定的问题，旨在找出最佳判断或最合理的看法。

采用淘金式思维的读者常常质疑作者为何要提出各种各样

的主张。他在书本的页边写批注，提醒自己注意作者推理和论述中存在的问题。他无时无刻不在和自己的阅读材料互动，目的是批判性地评价所读的材料，在客观评价的基础上得出自己的结论。

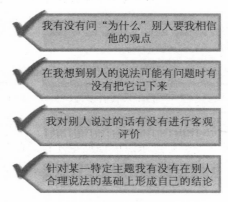

脑海里存一份淘金式思维的清单

淘金式思维举例：美国该禁枪吗

美国社会有个久拖不决的重大问题，牵涉到美国人究竟需要什么样的枪支管制法案。让我们来看看有关这个问题的一个立场：

支持禁枪的理由大多是臆造出来的，现在我们需要的根本不是更多的法案，而是更大的执行力度。有个臆造的理由是：很多杀人犯都是普普通通的守法良民，不过出于一时冲动杀了自己的亲人或朋友，因为枪就在手边。事实上，针对杀人犯的每一项研究都显示，杀人犯当中绝大多数人都是惯犯，这些人一生恶行累累、犯案

不断。一个典型的杀人犯在犯下谋杀罪行之前平均至少
有六年的犯罪史，其中四次是重罪被捕。

另一个臆造的理由是枪支持有者都是些目不识丁的
人，动不动就喜欢好勇斗狠。但是，研究向来都显示：平
均而言，枪支持有者比没有枪支的人受过更高的教育，从
事更有声望的工作。根据他们填写的持枪申请表来看，以
下这些人都是（或曾经是）枪支持有者：埃莉诺·罗斯福
（总统罗斯福的夫人）、琼·里弗斯（著名影星）、唐纳德·
特朗普（房产大亨）和大卫·洛克菲勒（银行家）。

就算枪支管制法案真有可能减少涉枪的犯罪行为，
那么将现行法律真正一一付诸实施也就足够管用了。既
然法庭不止一次地证明这些法律根本不会得到执行，就
算制定再严的法律又有什么用呢？

若用海绵式思维解读上面这篇文章，也许你会花工夫记住我
们无须更严格的枪支管制的几点理由。但是对上述几点理由你到
底相信几分？如果不利用淘金式思维来解读这篇文章，也就是对
这篇文章提一些适当的问题，你根本无法客观评价这些理由。只
要提几个适当的问题，你就会发现上文作者的论述存在很多不足。
比如，你可能对下面几点非常关心：

（1）作者提到的"绝大多数人"或"典型的杀人犯"是个什
么概念？是否意味着剩下来的那"少数人"当中仍然有相当数量
的杀人犯出于一时冲动而枪杀了自己的亲人？

（2）"枪支持有者"是什么意思？是不是主张枪支管制的人
竭力推动禁持某些特种枪支，而这一部分人持有的正是这些特种
枪支？

（3）文中引用的几个研究到底有多大说服力？作者提供的研究样本是不是很充分，是不是随机抽取的，是不是涵盖了不同人群？

（4）有没有什么枪支管制的潜在好处文中没有提及？有没有和作者观点相左的重要研究成果作者略过不提？

（5）每年有多少人死于手枪之下，而实行手枪管制的话这些人可能根本就不会枉死？

如果你总爱提这种类型的问题，那么这本书简直就是为你量身撰写的。本书的主要目的就是帮助你了解何时提问、怎样提问才能让你判断出信什么、不信什么。

淘金式思维方式最重要的特点就是参与和互动，即作者和读者、演讲者和听众之间展开对话。你本着相信他人的愿望而来，但首先他们得对你提出的问题做出令人信服的解答。

别人观点的不当之处总不会一直不停地自动跳到你的眼前。作为读者和听众你必须保持全神贯注，而保持精力集中的最好办法就是不断提问题。**批判性的提问是检索信息和搜寻答案的最好方法。**恰到好处的连珠发问有个强大的优势：它们能保证你打破砂锅问到底，哪怕你对讨论的主题所知有限也不碍事。比如，你不必成为育儿专家也一样可以针对日托中心的某些举措适当与否提出一些关键性问题。

正确答案莫非只是神话

我们能否找到确定无疑的答案常取决于困扰着我们的问题的类型。物质世界的科学难题最有可能找到准确的解答，只要不钻牛角尖，大家几乎都可以接受，因为物质世界较人类社会而言在某些方面更加可靠或者说更能预测。我们也许不能百分之百地确定地球与月亮之间的确切距离，或是一块新发掘的古文明社会的骨头距今有多少年代，但在物质环境的方方面面达成共识的例子却随处可见。因此，在自然科学方面，我们常常能找到"正确答案"。

　　<u>而问题一旦涉及人类的行为和这些行为的意义，情况就变得截然不同</u>。人类行为的动因太过复杂，某些行为为什么会发生，或者在什么时间发生，我们常常只能做出些聪明的猜测，此外无法前行一步。不止这样，我们当中有许多人都对人类行为的各种解释和描述极为热心和关注，诸如堕胎率、肥胖带来的后果或虐待儿童的起因等问题，我们更热衷于相信那些和我们的期望值一致的解释和描述。这样，我们难免会把自己的喜好带入这些问题的讨论场合，而对那些与自己喜好不一致的说法一概加以排斥。

　　因为人类行为往往充满争议而又千头万绪，故而有关人类行为的很多问题我们能找到的最佳答案本身也就具有极大的或然性。比如坚持锻炼对保持心理健康确实有效，哪怕我们明知道一点一滴的证据都能证明这种效果，我们还是不敢保证这些效果必然就会出现。为了以策万全，我们还是得承认不排除意外情况的发生，才能避免让自己沦为"空架子"或"不靠谱"。可是我们一旦承认自己的保证建立在或然性而非必然性的基础上，那么对那些试图说服我们改变观点的人，我们对他们的推理也必然要更加开放和包容才行。毕竟我们的有些看法难免会出错。对那些和我们意见不一的人我们要洗耳恭听他们的观点，也许他们才是正确的。

　　不管提出来的问题属于什么类型，最需要你细细加以研究的往往是那些与"开明通达人士"看法不一致的问题。实际上，很多问题之所以引人入胜正是因为在解答方法上大家的意见出现严重分歧。任何一场辩论都包含不止一种立场和观点。有些立场和观点背后可能有强有力的论据支撑。而对社会问题的辩论，很难有一个观点可以让你一锤定音地宣布，"在这个问题上，只有这个观点才完全正确"。如果这样确定无疑的答案有可能出现，那开明通达人士也不会为这个问题辩论不休了。本书就会重点围绕这些社会问题的辩论而展开。

最好先问一问"关我什么事"

提一些像样的问题虽有难度但结果肯定大有裨益。对你而言有些辩论比其他辩论显得更加重要。如果一个辩论其结果对你和你所处的社会影响甚微，你自然不肯花大把时间和精力去对它加以批判思考，而宁愿把时间和精力投入到更加重要的辩论上去。举例来说，对支持还是反对保护濒危物种的辩论进行客观评估就很有意义，因为针对这个问题的不同立场将会给社会带来重大影响。反之，一门心思地去评估蓝色是不是大多数公司老总最喜欢的颜色就显得意义不大了。

一寸光阴一寸金，在决定花大把光阴去客观评估一个问题之前，最好先问一下自己："这个问题关我什么事？"

弱势批判性思维和强势批判性思维

前面我们说过，对很多个人和社会的重大问题你都有了自己的观点，那么你现在肯定也乐意对以下问题表达自己的立场，如

"卖淫要不要合法化？""酗酒是难以自控的疾病还是有意为之的恶习？""乔治·布什在任时是不是一位成功的总统？"带着对这些问题的观点和立场，你在读书和听讲中不断加以印证。

批判性思维可以用来①捍卫自己的观点，②评价和修正自己的初始观点。理查德·保罗（Richard Paul）教授对弱势批判性思维（weak-sense）和强势批判性思维（strong-sense）的区分有助于我们理解批判性思维两个对立的用途。

 小贴士：弱势批判性思维是利用批判性思维来捍卫自己现有的立场和看法。强势批判性思维是利用批判性思维来评估所有断言和看法，尤其是自己的看法。

如果你利用批判性思维来捍卫自己当前的看法，你就在使用**弱势批判性思维**。为什么说这种思维是弱势的呢？用这种方式来使用批判性思维技能就意味着你对能否接近真理和发扬美德漠不关心。弱势批判性思维的目的就是抵制和驳倒那些与你意见不同的观点和论述。最终看到那些和你意见不同的人服服帖帖地甘心认输，以此作为批判性思维的终极目标，实际上也就摧毁了批判性思维潜在的人性的一面和不断发展进步的特征。

相反，**强势批判性思维**要求我们用关键性问题一视同仁地质疑一切主张，包括我们自己的主张。强迫自己辩证地看待我们的初始看法，我们才能保证自己不会变得自欺欺人和人云亦云。抱着自己的初始观点死死不放固然很容易，尤其很多人的观点与你相同时更是这样。可一旦我们选择走这条容易的道路，我们就极有可能犯下原本不该犯的错误。

强势批判性思维并不一定就要迫使我们放弃自己的初始看法。

它可以为我们进一步坚定自己的看法提供坚实的基础，因为辩证地检查那些看法有时候可以巩固我们当初对它们的支持，从而让我们变得更加笃信不疑。另一个区分这两种思维的方法就是对比一下思想开放和思想封闭这两种状态。当我们思想开放的时候，我们欢迎一切针对自己现有看法的批评，而当我们思想封闭的时候，我们就会维护自己的现有看法绝不动摇。

要对自己持有的某个观点感到自豪，这个观点就应该是我们千挑万选出来的——我们透彻理解并客观评价各种纷繁复杂的观点，然后从中披沙拣金，选出最合理的观点。

亲自动手才更有乐趣

亲自动手的乐趣要远远大于袖手旁观，而圆满完成任务的乐趣又远远大于浅尝辄止。如果你按部就班地使用本书所传授的每个互动步骤，那你在读书和听讲中所体会到的骄傲和自豪，与你平时出色地参加体力劳动时得到的那种自豪感完全一样。

学会批判性思考问题的人知道什么时候该对一个思想或观点说"不"，知道为什么他的回答恰如其分，这样做让他觉得无比满足。如果你能坚持不懈地使用这种淘金式思维，那么进入你大脑的任何知识首先都会接受系统的检查。如果一个观点或看法确实符合这里所设立的标准，那么同意或接受它就是明智的决定，至少在新的证据出现之前是这样。

勤于练习的重要性

我们的目标是让学习过程变得越简单越好。但是，批判性思维的习惯养成首先得依赖于大量的练习。

　　除了本章的引论部分，每章末尾的练习题和参考答案是本书不可或缺的重要组成部分。我们所提供的答案并不是唯一正确的解答，但它们确实提供了例证，教我们怎样将各类定义和提问的技能应用于实践。我们特意不给每章末的第三篇文章提供参考答案，目的就是让读者有机会尽量利用本章所学的知识来寻找答案。

也许我们根本就问错了问题

　　一有什么问题浮现在脑海里马上就不加辨别地提出来，这并非是件对我们有帮助的事情。我们得有所选择，就像《黑客帝国》里的干探布朗提醒我们的那样："**也许我们根本就问错了问题。**"

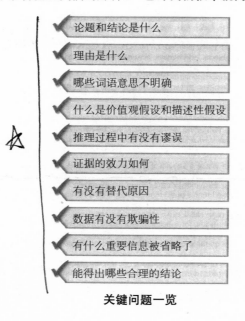

论题和结论是什么

理由是什么

哪些词语意思不明确

什么是价值观假设和描述性假设

推理过程中有没有谬误

证据的效力如何

有没有替代原因

数据有没有欺骗性

有什么重要信息被省略了

能得出哪些合理的结论

关键问题一览

为了让你初步体会一下本书将帮你获得的技能，我们将为你列举一些关键的问题。等你读完本书以后，你就会明白什么时间、怎样有效地提出这些问题。

价值观决定人与人之间的互动

我们的大部分思维活动都不是独自闭关修炼，而往往牵涉到别人。只有全身心投入进去与别人积极互动，我们才能不断向前迈进；没有别人的参与，我们作为学生往往会误入歧途。批判性思维很大程度上依赖于虚心听取别人的意见来取长补短。

价值标准和别人

将别人当成你最有价值的资料库，当成你最终获得事实、观点和结论赖以建立的坚固基石，别人是你"结论大家庭"中的一员，他们会以一种重要而又持续不断的方式，孕育和培养你的结论。这个大家庭的主题就是相互联系。

这些人与人之间的互动到底怎样起作用，取决于你的价值观，以及你从那些互动人士身上体会到的价值观。在你发现价值观对于形成结论的重要性之前，你最好先对价值观到底是什么有一个初步的了解。本书所谓的价值观，是指人们认为较有价值的那些观点。你会发现正是人们赋予抽象观念的重要地位对他们的选择和行为产生了重大影响。

通常情况下我们会为自己所珍惜的某个理想而渴望相应的目标、经历和行动。举例来说，我们也许会选择去做一些特定的事情，好让自己有机会接触到大人物。我们重视"大人物"（具体观

念）是因为我们重视"地位"（抽象观念）。当我们在本章中使用
"价值观"这个词的时候，我们所指的是抽象观念，它代表了别人
认为重要和美好的事物。

 小贴士：价值观指的是人们认为较有价值而没有明说出来
的观点。它们树立了一定的行为准则，据此我们来衡量人
类行为的品质高下。

为了让你更加熟悉价值观这个概念，请你先写下自己的一些
价值观。注意尽量不要写一些具体的人名，也不要写可以触摸到
的物体或一些具体行动。比萨饼或网球也许对你很重要，可正是
你赋予抽象观念的重要地位最能影响到你对有争议的社会问题的
选择和行动。比如，你甘愿就辅助自杀（assisted suicide）这一行
为与他人辩论，这就与你赋予"人的生命神圣不可侵犯"这一抽
象概念的重要地位密切相关。在你列举种种价值观的时候，请注
意那些在许多方面影响到你的观点和行为的重要价值观。

你在列举价值观的时候是否遇到了困难？我们可以为你提供
一些帮助。价值观就是我们自己认可的行为准则，并且我们希望
别人的言行能与之一致。当我们希望我们的政治代表能够"实
话实说"时，我们传达给他们和我们自己的信息是：诚实无欺是
我们最为珍视的一个价值观。问问你自己，你希望自己的朋友都
是些什么样的人，你希望自己的孩子能培养出什么样的行为准
则？这些问题的答案可以帮助你拓展对价值观的理解。

让我们提醒自己对价值观的了解怎样和批判性思维的社会属
性联系在一起。虽然我们必须要求自己仔细聆听那些和自己价值
观取向不同的人的观点，但是靠价值观建立起来的最显著的社会

联系还是价值观之间的相似性。我们当中那些将个体责任当成重要价值观的人，他们会去寻找那些同样相信"经过改善的个体选择乃是解决大部分人类问题的济世良方"的人为伴，和这些人在一起他们才觉得放心自在。因此，我们许多最有价值的社会交往或学习经历都始于和那些拥有类似价值观的人之间的交流。这方面我们遇到的最大挑战是如何让自己尽力理解那些和我们的价值观背道而驰的人的分析推理方式。

冒险精神、雄心壮志、自主性、舒适感、优秀、公平、理性、包容和自觉自愿，对我们而言这些也许都是重要的价值观，但很可能别的讲道理的人也有一套重要的价值观，和上述许多价值观相冲突。我们常见的做法是只愿听那些价值观取向和我们相似的人的观点，党同而伐异。我们必须要与这种倾向作斗争。

批判性思考的人拥有的主要价值观

本书的主要目的是致力于帮你成为一个会批判性思考问题的人。而作为一个批判性思考问题的人，你的主要目标是寻求更好的结论，寻找更好的看法，做出更好的决定。有些价值观能加快你实现这些目标的步伐，而另一些价值观则没有这种效果。通过了解和欣赏批判性思考的人所拥有的主要价值观，你也就拥有了一些心智力量，用来提醒自己去重点关注那些和你的价值观取向不一致的人。首先让我们来看看这些主要的价值观。

（1）自主性。乍一看，这个价值观好像和鼓励人们注意不同的观点显得有点儿风马牛不相及。一方面要我们积极主动地形成自己的结论，怎么另一方面又要我们去寻找或聆听那些根本不属于我们自己的观点呢？真搞笑！那在追求这种自主性的过程中你又利用什么样的原材料呢？毫无疑问，我们都想从无限广阔的可能性中进行选择，否则我们就有可能错过某个重大决定或重要选择，而如果我们足够小心，注意那些和我们的价值取向不同的人士，我们本可以挑中这样的决定或选择。举例来说，民主党人如果只听其他民主党人的意见，势必要铸成大错。

（2）好奇心。要想充分利用淘金式思维来立身处世，你需要兼听博观，而且是真正意义上的兼听和博观。他人有驱使你前进的巨大动力，将你从当前偏听偏信的状态中彻底解放出来。要想成为一个批判性思考的人，你需要对自己遇到的一切不断提问。你从别人那里学到的一技之长就是他们的洞见和感悟，**只要他们的观点符合《学会提问》这本书教给你的关于正确推理的那些标准就行。**

（3）谦恭有礼。哪怕世界上最聪明的人每周都会犯下一堆错误，认识到这一点，就为我们提供了一个理想的平台，让我们积极主动地和他人合作交流。当然我们中有人明察秋毫，有人则不见舆薪，可是我们每个人能做会做的事都非常有限，当我们躬自反省的时候，我们就会回想起苏格拉底说过的话：“我唯一所知的就是我一无所知。”一旦我们接受这一现实，我们就能更好地认识到我们同他人之间的交往至少能填补一小部分我们当前认识的空缺。而且，谦恭的意识让我们能避免批判性思维最为常见的一大障碍，就是相信凡与自己意见相左的人都是立场偏狭，而自己则立场公允。

（4）以理服人者逢之必敬。我们虽然想恭听别人的声音，这并不是说一切观点和结论不分轩轾、价值等同，你在学习本书的过程中掌握的那些关键问题会为你提供一个基本架构，帮助你精挑细选，从所有想对你施加影响的人中择优汰劣。一旦你发现说理透彻、论据可靠的人，不论其肤色、年龄、党派、财富、国籍如何，一定要毫无偏倚地信赖其观点，直到更加透彻明晰的论证出现时为止。

不论怎样，有理有据时做事要信心百倍，下结论时不可犹疑，但一定要留有余地，三思而行，最好扪心自问一下：我的结论有没有可能是错误的呢？

理智思考和感情用事

列举批判性思考的人应该具备的主要价值观并且对之条分缕析相对比较容易，但身体力行起来却难上加难。你一开始以为与某个结论不期而遇，其实这个结论早就有来头和历史了。你已经学会对某些事物处处留心，对某些利益鼎力支持，对某一类主张加以漠视。因此你总是在现有的各种观点之间开始批判性思考。你对这些现有观点难免会有情感上的依恋。

这些都是你的观点，你对它们百般呵护也是完全可以理解的。听一听政治讽刺作家斯蒂芬·科尔伯特（Stephen Colbert）是怎样嘲讽我们以下的看法的："你知道，我可不是什么事实的'粉丝'。事实总会不断变化，而我的观点却从来不变，不管事实如何我都无所谓。"

当你改变自己的看法时，就好像当众承认你从前的一切都归于失败，直到此刻才如梦方醒。遇到更强有力的分析推理能引导你进入全新方向时，有勇气当机立断地改变观点和立场，真需要超乎常人的意志，下定决心发掘自己的最大潜能，塑造出史上最强的自己。当然，一直不停地改变观点证明你是个随机应变的人绝对是不智之举。可是当你遇到新的证据和理由，胜过你一直以来依赖的所有理由和证据，你就有必要弃暗投明、轻装上阵。你应该倾力拥抱这个修正后的世界，信心百倍地认为这样的世界才更加可靠。宁可在理由充分、证据确凿时反复无常，也不要在缺乏论据、强词夺理的结论上执迷不悟。

　　请牢记一点，我们思考时都有明确的目标。换句话说，我们之所以思考正是为了达到一定目的。当我们思考的动机就是为了同以前的思考方向保持一致、毫不更改时，我们就对批判性思考的价值观不管不顾。取而代之的是，我们变成了鼓吹者和宣传家，千方百计地寻找更好的方法来维护自己当前的立场。从这个角度来看，思考的过程其实就是捍卫的过程。

　　更明智、更进步的做法是一旦思考，目的就是要让我们的思想更有深度，让我们的思想更加精确。为了达到这个目标，我们就要不时锻炼自己，耐心倾听那些和我们意见相左的人的论证。因为我们对自己的论证已经驾轻就熟，大可放心去了解其他人的论证，了解那些我们没有真正全面透彻加以了解的论证，这样就可兼采百家之长而不致迷失方向。

　　这一点值得一再强调。我们每做一个决定时都携带有太多的个人包袱——经历、梦想、价值观、所受训练、文化习俗等。可是，如果你要茁壮成长，你就得认清这些情感，而且尽你所能，将其搁在一旁暂时不问。要做到这一点就需要不断斗争，正如火柴盒二十乐队（Matchbox Twenty）在那首名为"争论"（Argue）的歌曲里所唱的那样：

> 而我也不知道，说过我也不知道，
> 所有这些感情，让我的分析云遮雾罩，
> 让我的分析云遮雾罩。

只有尽力认清这些感情以及它们对你造成的影响，当别人提出的观点可能威胁或推翻你当前的看法时你才能仔细聆听。这种开放包容的精神非常重要，因为在有些问题上我们的许多立场和观点并不是特别有理有据不容辩驳，它们也是别人传递给我们的观点，经年累月下来，我们对这些观点产生了难以割舍的感情。事实上，很多时候，当别人提出相反的结论时，我们都将其当做针对我们自己的人身攻击。对一个论题过于感情投入的最大危险，就是你可能考虑不到其他立场潜在的正当理由——这些理由其实非常充分，只要你愿意听一听，足以改变你对这个论题的看法。

请记住：**接受还是拒绝一个立场，感情上的依恋绝不应该成为最重要的基础。**理想的做法是，只有在经过分析推理以后还对其笃信不疑才可以加大感情投入的力度。批判性思考的人毕竟不是机器，家事国事天下事，他们事事关心。关心的程度如何，只要看一看他们全身心投入与批判性思维有关的智力活动，再苦再累他们也无怨无悔。但投入的感情再多，批判性思考的人也会清醒地意识到他们的当前思想随时有可能得到修正，因此感情时刻受到理智的调节和控制。

让对话一直进行下去

因为批判性思维是一种社交活动，所以当我们对他人的看法和结论不断质疑时，我们还得考虑他们可能会有什么样的反应。只要与我们交流的人对批判性思维的主要价值观和我们心照不宣，那么我们的提问就会被当成新的证据而受到欢迎，大家面对的是共同的问题，一起结伴寻找最佳的解答。但是这种共同成长的绝佳机会却不是社会交往的唯一模式。

很多人并不热心别人来探询他们的思考过程，常常是，别人一问到他们，他们就认为别人是没事找茬，有意和他们过不去。有的人可能会问：他为什么要问我这么多难对付的问题？他为什么横竖不肯接受我的观点？如果你求知若渴地不断追问，而他们的反应却是反问你为什么要这样刻薄小气，千万不要觉得惊讶。很多人就是不习惯别人对某个观点的来龙去脉那样好奇偏要去打破砂锅问到底。

为了批判性思考的目的而进行的论证，其面目会大不一样。因为我们将论证看成一种机制，依靠这种机制，我们可以对当前的结论巩固充实、删繁就简，因此我们使用的"论证"这个概念，其含义就变得迥然不同。一个论证是两种不同形式的陈述之间的结合，即一个结论和支持这一结论的理由间的结合。正是理由和结论之间的紧密结合才支撑起一个人的论证过程。我们之所以提供一定的论证，是因为我们关心别人采取怎样的方式生活，他们相信些什么。而我们能不断取得进步，则得益于别人足够关心我们，为我们提供各种各样的论证，而且对我们的论证进行客观评估。只有这样做我们才能成长为有思想的人。

最重要的一点是，当你进行批判性思考的时候，一定要让别人明白你好学上进。此外，要让他们相信你的本意是好的，如果你同他们存在分歧，不管这些分歧有多重要多严重，都不应该以口诛笔伐而收场。以下列举一些谈话策略，你可以利用这些策略来让谈话继续下去而不致中断。

（1）尽量阐明你对别人言论的理解，不妨问一问："我好像听你说过这个。"

（2）问一下别人，有没有证据能让他改变他的观点。

（3）提议暂停一段时间，你们可以尽量找到支撑自己结论的最佳证据。

（4）问一问别人，为什么他认为你据以形成结论的那些证据显得不堪一击。

（5）尽量弥合分歧。如果你接受对方的最好理由，并将这些理由和你的最好理由放到一起，有没有发现一个你们双方都可以接受的新结论呢？

（6）寻找一些共同的价值观或其他一致同意的结论，以此为基础，找出对话中分歧产生的原点。

（7）好奇心再强，也要表现得体贴关心和不温不火，一旦讨论的语气升温，就要不断提醒自己，你是来虚心学习的，不是来舌战群英的。

（8）确保你的表情和肢体动作都表现出谦恭的样子，而不是摆出一副全知全能、目空一切的架势。

营造交流会话的友好氛围

作为一个作者或演说者，你面临一个重要的抉择。你得决定为你的读者和听众营造一种什么样的氛围。你是否会选择这样一种氛围：一旦有人不同意你的结论气氛马上就变得剑拔弩张？在当前这种极端的环境下，这样一触即发的诱惑是非常大的。只要看一看美国大选季期间大家使用的策略，也就是"每日秀"（Daily Show）主持人乔恩·斯图尔特（Jon Stewart）在节目里嘲讽的那种谈话策略就知道了，他说："我不同意你的观点，但我可以肯定你不是希特勒。"

本着斯图尔特引用的这句话的精神，你就可以选择营造这样一种氛围，让讲道理的人可以体面而又大方地表达异见——一种欢迎讨论和提问的氛围。我们当然提倡这样的氛围，但让我们实话实说吧，确实有一些不可抗拒的理由，让我们在写作时语气变得不容置疑，将批判性思考的人拒之门外，甚至将他们全部撂倒。

首先，遇到一个难回答的问题，将它直接枪毙比仔细思考然后做出回答要容易得多。而且，这样做一定让你显得一言九鼎霸气外露，让听众简直没胆量挑战你的权威观点。更不要说这种写作风格有时候会显得非常轻松有趣。不知你有没有读过并且特别享受毒舌王评论的一部电影、一本书、一张唱片或游戏？

看一看下面对 2009 年票房大获成功的卖座影片《变形金刚 2：卷土重来》的一篇评论，注意其中的语气和措辞。流行影片评论家罗杰·艾伯特（Roger Ebert）这样写道：

> 你要是想省下这张电影票钱，直接走进厨房，摆出男性唱诗班的架势，大唱地狱之歌（music of hell），再让一个孩子胡乱敲打锅碗瓢盆和瓶瓶罐罐，然后闭上眼睛动用点想象力就行了。

请你试着去说服他，告诉他应该冷静下来重新考虑一下。

对于一心一意开发批判性思维的人，使用这种语气和别人交流代价就太高昂了。模仿艾伯特的这种说话方式将我们与我们打算交流的那些人的想法彻底隔绝起来。他们将谈话的通道全部关闭。此外，这种方式和一个批判性思考的人的价值观直接发生冲突，他们的价值观推崇的是好奇心、谦恭有礼的态度和以理服人。为自己的立场据理力争，但若采用艾伯特式的不留情面和不容商榷的口气，无形中就关闭了通往批判性思维一个重要问题的大门："我有没有可能是错的呢？"我们想鼓励你让自己的文章变成好客的场所，读者即使和你道不同也可以一起商量。

一厢情愿是批判性思维的最大劲敌

2005 年，斯蒂芬•科尔伯特曾提醒过我们"似是而非"这种危险的心理习惯。当一个人特别喜欢那些他希望是真的概念或事实，而对那些已经证明是真的概念或事实退避三舍时，他就已经钟情于"似是而非"了。我们倒也希望世事都能遂人所愿，这样也就天下太平、一团和气而又事半功倍了。但我们很多人根本不去想一想这样一个升平世界是否接近现实，他们干脆自创一套看法来和这个虚幻的世界相吻合。我们希望什么是真的，干脆就直截了当地宣布它是真的。我们希望产品的标签简单易懂并且名实相副，因此买东西毫不犹豫，相信里面的产品毫厘不爽地印证了标签上的文字。

这样下去，事实就要顺应和符合我们的看法，而不是将我们的看法去与事实相印证。我们可以肯定你一定能发现这里存在的问题。因为我们认为一切事物其本质和表现出来的现象应该有所不同，而我们也相信它们实际上就是有所不同，一旦我们认识到自己有似是而非这样的倾向，我们就要不断问自己："是不是因为我希望它是真的这事才是真的，还是有确凿无疑的证据证明它是真的？"否则我们就要自取其辱，说出来的话就像哈利·波特在《哈利·波特与混血王子》中所说的那样：

> 哈利：肯定是马尔福干的。
>
> 麦格教授：波特，这个指控可不轻啊。
>
> 斯内普教授：说的是。波特，你有什么证据？
>
> 哈利：我就是知道。
>
> 斯内普：你……就是……知道？（语带讥讽）波特，你的天才又要让我大吃一惊了。

一厢情愿的思维之所以常常挥之不去，是因为我们否认一切的思维方式常常出现。我们在不知不觉中和事实作斗争，在冷冰冰的事实之外尽力强化升平世界的幻想。对我们共同面对或独自面对的种种问题产生的焦躁和恐惧情绪构成了一道防护墙，屏蔽了我们生活在其中的真实的世界，让我们看不见其本质。想一想你一生中多少次反复听到国家元首宣布他们所发动的战争马上就会结束，胜利指日可待。但是这样的预测通常只是些空洞的许诺。我们不得不面对残酷的现实，战争也许会一直不停地打下去，或者本国部队取胜的前景并不明朗，想到这些真让人痛苦不堪，所以我们的思维干脆直接将它抹掉了。

有一种一厢情愿的思考方式叫做奇迹式思考（magical thinking）。有些事当科学还不能提供较能令人接受的解释时，人们多喜欢依赖奇迹作为因果解释来理解这些事物，或者试图用奇迹来掌控科学无法掌控的那些事物。我们来听听美国动画《辛普森一家》中的顽童巴特是怎样打击奇迹式思维的：

　　马格：好了，孩子们，把你们的信都交给我。我会把这些信寄到圣诞老人在北极的工作室去。

　　巴特：不要再胡说啦。这世上只有一个肥佬会不断给我们带礼物来，但他的名字才不叫圣诞老人呢。

　　这世上有许多事都无法控制，我们也知道与之抗衡的许多力量和困境都好像远远超出了我们的能力范围。结果就是过去了一茬拔牙齿的仙女和复活节的兔子，又来了一茬新的神奇力量和影响，只要它们能带来乐观主义和安全感就行。当人们无力去理解或改变自己的境遇时，奇迹式思维就变得更为强大。在这种巨大需求的驱动下，任何相信人生有随机或偶发因素的想法都被斥为令人沮丧而置之不理，代之以奇迹式的因果关系的承诺。

　　对抗奇迹式思维的方法就是积极主动地使用本书所教导的关键问题。批判性思维的种种障碍会一直不停地伴随我们，不能忽视它们，但是凭借好奇心以及对批判性思维原则的尊重，绝对可以抵制它们。

Chapter

第 2 章

论题和结论是什么

在我们客观评价一个人的分析推理之前，首先必须找到他的分析推理之所在。这样做看起来易如反掌，实则不然。要成为会批判性思考问题的人，第一步就得培养找准论题和结论的能力。

手机正在成为今日社会不可或缺的一部分，给我们的生活带来了种种便利，同时也带来诸多不便。手机的便利之处在日程太满和情况紧急时可以体现出来。对那些随时要掌握儿女行踪的父母来说手机也可以派上用场。尽管手机给人们带来了种种便利，但它的不便之处表现在使用的不合时宜。人们正在聚精会神地听讲座或听音乐会时突然有手机铃声响起来，大家会觉得大为扫兴是在所难免的事。尽管文明社会中多有关闭手机的种种提示，但面对日渐增多的手机用户，他们的种种恶习也许需要我们施以更为严厉的惩戒才行。

写这篇文章对手机的作用进行评价的人很想让你相信他的观点。但是他的观点到底是什么，我们为什么要相信他的观点呢？

一般来说，那些建网页、博客、写社论、出书、给杂志写文章或做演讲的人都在竭力改变你的看法或是信仰。你要对他们循循善诱的说法做出客观公正的回应，首先就必须找出其中的争议或者说论题之所在，然后再找到作者要推销给你的结论。（别人的结论也就是他试图传递给你的信息，目的在于塑造你的信念和行为。）找不准作者的结论，你就会曲解别人的意图，这样做出的回应也就显得驴唇不对马嘴。

读完本章以后，你应该能自如地回答我们提出的第一个关键性问题。

> ❓ 关键问题：论题和结论是什么？

 小贴士：论题就是引起对话或讨论的问题抑或争议。它是后续所有讨论的驱动力。

"是什么"问题和"应不应该"问题

在这里，识别两种你常遇见的较有代表性的论题不无裨益。以下这些问题阐明了其中的一类论题：

- 音乐学习**是不是**有助于提高一个人的数学能力？
- 家庭暴力最常见的诱因**是什么**？
- 服用帕罗西汀（Paxil）**是不是**治疗抑郁症的有效手段？

• 美国 2016 年医疗保险的花费将会达到**多少**？

• 伊利诺伊大学心理学研究院的水平**怎么样**？

以上所有问题都有一个共同点。对它们的解答无一例外地都要描述世界万物过去、现在或将来的存在方式。比如，前两个问题的答案有可能是："一般来说，受过音乐训练的孩子比没有受过音乐训练的孩子学起数学来要更省力""长期酗酒是引发家庭暴力最常见的原因"。

这些论题都属于<u>**描述性论题**</u>（descriptive issues）。它们在教材、杂志、互联网、电视节目中较为常见，反映了我们对世间万物存在形式和秩序的好奇。请注意上述问题当中的黑体部分；你会发现以这些方式提出的问题，它们极有可能属于描述性论题。

 小贴士：描述性论题是指对过去、现在或将来的各种描述的精确与否提出的问题。

现在我们来看一看第二类论题的一些例子：

• 公立学校里**应不应该**教授智能设计？

• 对医疗补助欺诈**应该**采取什么措施？

• 我们**应该**立法禁止使用运动型轿车还是**应该**去面对哮喘病发病率的直线上升？

上述所有问题需要的答案都显示出世间万物应该呈现的样子。举例来说，前两个问题的答案可能是：公立学校里应该教授智能设计；我们应该采取更加严厉的惩罚措施来对付医疗补助欺诈。

这些论题都属于伦理或道德范畴，它们提出的都是关于什么是对什么是错、什么该有什么不该有、什么是好什么是坏的问题。它们需要的是规定性的答案。因此，我们将这些问题称为**规定性**

论题（prescriptive issues）。社会辩论通常都属于规定性论题。

这样说有点儿太过简单和笼统了，有时候，我们很难判断自己讨论的到底是哪一类论题。但是，记住这两种不同的论题类型很管用，因为你最终做出的客观评价到底是什么样，主要取决于你所回答的论题的类型，不同类型的论题，评价也自然会有所不同。

小贴士：规定性论题是指对什么该做什么不该做、什么是对什么是错，什么是好什么是坏所提出的问题。

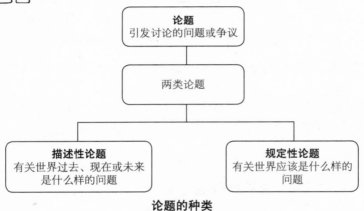

论题
引发讨论的问题或争议

两类论题

描述性论题
有关世界过去、现在或未来是什么样的问题

规定性论题
有关世界应该是什么样的问题

论题的种类

他到底在说什么啊

人们应该怎样着手来确定基本的问题或者论题呢？有时候很简单：作者或者演说者会直接告诉你论题是什么。你也可以在文章的正文当中找到论题，通常是在文章的开头，或者在文章的标题中就可以直接找到论题。如果论题是直截了当说出来的，作者会用到以下这些词来加以提示：

- **我要问的问题是**：我们为什么一定要有规范烟草制品的各种
  法律呢？
- 降低法定饮酒年龄：**是不是一件正当的事情？**
- 学校到底**应不应该**提供性教育？

可惜很多问题并不总是直截了当地提出来，必须得从交流和
会话的其他暗示中进行推断。例如，很多作者或演说者会对他们
关心的一些当前热点事件进行回应，比如说一系列发生在校园里
面的暴力事件。问一问"作者是在对什么事件进行回应"常常能
帮你找出一篇文章的中心论题。还有一个比较好的线索是了解一
下作者的背景，比如他所加入的组织机构。所以说在你下工夫找
论题的时候查一查文章作者的背景信息也很有必要。

在你辨认论题的时候，要努力抵制这种思想：陈述这个论题
的正确方法只有一种，其他都是错误的。一旦你找到整篇文章或
整场讲座所要论述的问题，以及这个问题和这篇文章或这场讲座
之间的联系，你就已经发现了论题。只要确保你所界定的论题符
合"论题"的界定标准即可。

但是，当论题并没有直截了当地说出来时，最有效的方法就
是先找准结论。很多情况下，在你能确认论题之前都得先找出结
论来。因此，在这些情况下，进行客观评价的第一步就是要找出
结论之所在——这常常也是较困难的一步。**我们只有找到结论才
能进行客观评价！**

让我们来看看怎么才能着手去寻找这一至关重要的结构元素。

小贴士：所谓结论，即作者或演说者希望你接受的
信息。

他想让我相信什么结论

要找到结论，批判性思考的人首先要问："作者或演说者希望证明的是什么？"或者"和我交流的这个人的主要观点是什么？"这两个问题的答案都是结论。同样，作者或演说者对这两个问题的任何解答都是结论。

在寻找结论的过程中，你也在寻找作者或演说者希望你相信的一个或一系列陈述。他希望你相信他建立在其他陈述的基础上得出来的结论。简言之，有说服力的交流或论证的基本结构是：甲之所以成立是因为乙。"甲"是指结论，"乙"是指结论的支撑材料。这个结构代表了推理的过程。

结论是逐步推断出来的，它们来源于分析推理。结论是一个个观点，需要其他观点来进行支撑。因此，如果有人断言某件事是正确的，或者某件事应该去做，却没有提供相应陈述来支持他的这一断言，这一断言就不能称为结论，因为提出此断言的人并没有提供这个看法得以建立的任何基础。相应地，我们把没有证据支撑的断言称为纯观点（mere opinion）。

理解结论的本质属性是通往批判性阅读和聆听的必要步骤。让我们进一步观察一个结论及其推理的过程。阅读下面一小段，看看你能否找出其中的结论，以及支撑这一结论的其他陈述：

> 大规模室内养殖业不应该合法化，还有其他更自然的方法来生产我们所需的食品。

"大规模室内养殖业不应该合法化"是作者对"大规模室内养殖业应不应该合法化"这个问题给出的答案，这就是作者的结论。

作者支撑这个观点的一个理由是："还有其他更自然的方法来生产我们所需的食品。"

你有没有明白为什么上述用来支撑结论的看法本身并不是一个结论？它之所以不是结论是因为它是用来证明别的论点。请记住：**你相信一个陈述（结论）是因为你认为它由其他看法所支撑，这就是在进行推理**。当人们从事这一思维过程，他们就是在进行分析推理，分析推理得出来的结果就是结论。

有时候，和我们交流的人并不直截了当地说出他们的结论，在这种情况下，你就得依靠推理来得出结论，你认为作者摆出种种观点来加以证明的就是他的结论。

使用这个关键问题

一旦你找到结论，就将结论作为你评论的重点。结论是作者或演说者希望你选择的目的地和终点站。接下来你所关心的是：基于支撑这一论断的所有材料，我该不该接受这个结论？

找到结论有线索可循

线索一：**问问论题是什么**。因为结论总是对论题的一个回应。知道论题是什么将有助于我们找到结论。前面我们已经讨论过怎样确定论题。首先，看看文章标题。其次，看看文章开头第一段。如果这些技巧都不管用，那就有必要再往下浏览几段。

线索二：**寻找指示词**（indicator word）。结论前面常有指示词引导，告诉我们接下来出现的就是结论。当你看到这些指示词的时候，务必要提高警惕。它们往往会告诉你后面出现的就是结论。

以下我们为你列举一些指示词：

- 因此（consequently）
- 表明（suggests that）
- 由此可知（therefore）
- 由此得出（thus）
- 因此可以断定（it follows that）
- 我要说的重点是（the point I'm trying to make is）
- 显示出（shows that）
- 证明（proves that）
- 告诉我们（indicates that）
- 问题的实质是（the truth of the matter is）

阅读下面这篇文章，然后找出其中的指示词并做上记号。这样你就能找出包含结论的那些陈述。

> 因为宪法上的这些措辞，因此可以断定公学里不得允许有祈祷行为存在。如果这些公学偏袒任何一个宗教，它们就限制了其他人拥护不同宗教的自由。而宗教信仰自由这个理念正是美国赖以立国的基石。

你应该在"因此可以断定"这个词组下面做上记号，结论正是由此引出来的。

可惜很多书面和口头交流并没有用指示词来引导出结论。但是，如果你和别人交流的目的是为了将你的结论明确无误地传达给对方，你就应该用指示词来强调自己的论点以便引起别人的注意。这些词的作用好比闪烁的霓虹灯，吸引读者注意到你想要他们接受的那些要点。

线索三：**在可能的位置查看一下。** 结论一般都在特定的位置出现。首先要注意的两个地方是文章的开头和结尾。很多作家写文章喜欢开门见山，陈述中往往包含了他们想要证明的论点。而其他作家则喜欢在文章的结尾总结出结论。如果你在读一篇篇幅很长且错综复杂的文章，不明白作者到底在说些什么，那就直接跳到结尾去看看。

线索四：**记住不可能作为结论的东西。** 以下这些都不可能作为结论出现：

- 例句
- 数据
- 定义
- 背景资料
- 证据

线索五：**检查一下交流的语境和作者的背景。** 作家、演说者或网站常在有些论题上持一种可以预见的立场。如果文章的结论并不明显，那么资料来源中可能存在的偏见和文章作者的背景就会变成特别有价值的线索。对那些与作者或演说者有关系的组织机构的信息我们更要特别当心。

线索六：**问一问"所以呢？"** 因为结论常常都是含蓄的，所以我们要问"所以呢"来得出结论本身。问一下"作者是不是要我们从他所提供的信息里面找出隐含的结论"。在政治广告中，诸如"某候选人会对犯罪行为心慈手软"这样的结论经常会留给读者或观众，让他们自己从广告提供的有限信息里推断出来。

轮到你自己写时，可得吸取教训

你有没有在阅读同学的文章时这样思忖："所以呢，嗯，这家伙到底要说什么？"当然，你有个模模糊糊的概念，这位同学在谈 Ticketmaster 票务公司收费高得离谱时显得有点别有用心，但你所得出的也仅仅是个模糊的概念而已。当我们写文章时，我们常以为自己的意思表达得清清楚楚、一览无余，毕竟我们的论述对自己而言是最清楚不过了。可惜对我们而言明明白白的东西读者理解起来却有几道门槛需要跨越。读者无法听到我们内心的真实想法，我们许多隐藏的看法他们也无法看透。他们不知道我们的价值观和背景，对我们的研究过程或构思腹稿也一无所知。他们所有的就只是摆在他们面前的纸张或是屏幕。因为这个原因，我们建议你一定要下工夫将自己的意思表达得清清楚楚、明明白白。在我们为你提供写作建议的过程中，你应该期望我们一再强调这一点。批判性思维一个最大的障碍就是无法建立起沟通的桥梁。

写作之前先将论题的范围尽量缩小

从中学的作文课开始，老师一定经常教你不要急于草草动手写文章，最好先花时间将你的思绪整理一下列出个条理来。也许你已经掌握了很多不同的写作准备技巧，例如"头脑风暴""上网搜索"或是"自由发挥"等。也许你把这些建议很当一回事，但是对很多人来说，我们怀疑拿到一个题目动笔就写还是太有诱惑力了。某些人就喜欢一边想一边写的蛮干作风。

不管你写作前的准备方法是埋头苦想还是即兴发挥，我们还是强烈建议你在一头扎进写作前最好花点时间确定一下你的论题。

有没有一个清楚明确的论题，通常是区别作家成熟不成熟的一个
重要标志。

我们之所以建议你在写作之前花点时间想想论题，还有一层
原因。许多作者拿起笔来就写，结果常常是贪多嚼不烂，自己却
还浑然不知。例如，在一篇 3 ~ 5 页的文章里，年轻的作者很可
能竭力要向读者证明：气候改变确实存在，什么原因导致了气候
改变，为什么针对气候改变的批评是错误的，以及读者为什么要
关心气候改变这个问题。这些论题确实每一个都很有趣又很重要，
但要想在有限的篇幅里说清楚，这篇文章的作者也许过于贪心了。

引导读者得出你的结论

当你写作的时候，你总想千方百计地说服你的读者，让他们
全心全意地相信你的论证。你的结论和理由都应该一目了然。如
果你写作或者演说的目的是为了传达某个特定的结论，你的读者
或听众就会尽力去寻找这一结论。老老实实地把结论说出来，而
且说得清楚明白，其实也就是在帮助你的读者或听众。这才是你
想要传达的中心思想。强调一遍，让人们对它实际的意思再没有
一点怀疑。要让你的结论一目了然，这样不仅节省了读者的精力，
而且可以提高文章的逻辑度。

我们的写作建议有个最为首要的主题，那就是所有作者，也
包括我们自己在内，必须竭尽所能地好好组织自己的思想，然后
明白无误地表达出来。尽管我们自己对这些思想已经洞若观火，
但读者却没有我们这样透彻的了解。如果我们做出这些努力，我
们就可以在作者和读者之间架起沟通联系的桥梁，让批判性思考
和讨论变得切实可行。

来，做做思维体操

? 关键问题：什么是论题和结论？

请找出下面几篇文章里的论题和结论。注意指示词在寻找结论中的提示作用。我们为第一篇文章提供了自问自答的设问模式，展示批判性思维的全过程。通过自言自语的讨论怎样分析这篇文章，我们希望能为你将来自己提出并回答这些关键问题提供一些帮助。我们同时为第二篇文章提供了一个浓缩版的参考答案，而第三篇文章则留给读者自己去寻找其中的论题和结论。

⊙ 第一篇

如果父母将教育子女当成自己的全职工作，并且具备一定的眼光、知识和耐心来从事这一职业，家庭学校（homeschooling）也不失为一个有根据的想法。但是，问题的实质是父母在家教育子女往往是一种错误。

父母也许基于错误的理由选择将自己的子女从公立中小学中接回家来自己教育。有时候，孩子在学校老是不守纪律，而父母宁愿选择让孩子辍学，也不愿容忍学校处罚违纪儿童的种种规矩。这样的动机并不能保证接下来的家庭学校就可能产生良好的结果。此外，当家里没有其他大人来监控发生在这里的一切时，很可能出现这样的情况：如果父母在家里体罚子女，根本就不会有人知道。而社会需要知道，这些孩子在家是否接受了应当接受的正常教育和待遇。

⊙第二篇

电视广告机构创作广告的手法显示出他们的聪明才智。这些广告往往做得和孩子们喜欢看的动画片非常相似。孩子们看到动画角色都在使用某种特定产品，爱屋及乌，难免会将他们对角色的喜爱转移到那些产品上。广告公司并不想让孩子察觉到他们观看的动画片段和广告片之间有什么不同。使用这种策略，这些公司利用了这样一个事实：孩子们常常不能够区分动画片和广告之间的差别，他们也不明白动画片里面提供的那些东西都需要花钱才能买得到。在通常情况下，这些广告都是关于甜腻的零食或者油腻的食品，让孩子越吃越不健康，身体每况愈下。以孩子为对象的这些广告需要管理和控制才行，就像现在对以儿童为对象的烟酒广告进行管控一样。

⊙第三篇

法庭审判的实况录像该不该在电视上向民众播放？貌似摄像机一进法庭，审判体系很容易就会土崩瓦解。受害人在一小部分人面前作证还吞吞吐吐，一旦他们知道他们所说的每个字都要播送到千家万户，势必导致他们干脆缄口不言拒绝作证。当对被告的审判在电视上播放的时候，几乎就没有了"被告疑罪从无"这一法理可言。人们观看电视上的法庭实况转播，并不是因为他们关心国家有没有能力来确保司法制度的顺利实施；相反，他们都是来看证人出庭作证的刺激场面：把这当成娱乐消遣。因此，还是让摄像机待在法庭外面，让观众看看根据法律体系杜撰出来的情景喜剧比较好。

给个提示

⊙第一篇

- 有时候，论题很容易找到，因为它会在论证中明白无误地表述出来。我认为这篇论述文章并没有明白告诉我论题是什么，因为作者根本没有提到引起争议的问题所在。接下来就是去找出结论，这样我就可以更容易地找到论题。这本书告诉我，要找到文中没有明说的论题，最有效的方法就是先找出结论。

- 找一下指示词有助于我找到结论。"问题的实质是"在上文所给出的指示词中被列为引出结论的指示词，而这篇论述中恰好用到这个词。也许这篇文章的结论就是"父母在家教育子女往往是一种错误"。这一陈述确实有可能就是结论。另一个找到结论的方法就是在文章的开头和结尾部分寻找。而这句话出现在文章的开头。

- 这本书为我提供了一个可以排除出结论范围的论证结构，我应该查一下上文提到的那些部分来确认"在家教育子女的父母很少有人能做到这些"这个陈述不是数据、例证、定义、背景资料或其他类型的证据。很显然，它不属于这些部分。

- 到了这一步，我基本可以确定这篇文章的结论就是"父母在家教育子女往往是一种错误"。指示词已经暗示出结论，它所处的位置进一步确定了它就是结论，而它又不属于那些有时会让人混淆成结论的论证构成部分。

- 接下来我要弄明白，是什么问题引出了作者的这个讨论或者说论题。如果结论是"父母在家教育子女往往是一种错误"，引出这个讨论的论题有可能是"父母在家教育子女是不是可取的行为？"这个论题可以从结论反推出来，而接下来的所有句子都在讨论家庭学校潜在的种种问题，这一点也可以辅证。

- 在我结束讨论之前，我还想搞清这一论题到底是规定性论题还是描述性论题。要做到这一点，我先要问问自己，作者是在描述一种境况还是在规定一种什么是对什么是错、什么该有什么不该有、什么是好什么是坏的立场。作者详细描述家庭学校存在的种种问题，建议社会需要了解这些在家受教育的孩子所接受的是不是他们"应当接受的正常教育和待遇"。这些陈述针对是不是该有某种境况（这里指家庭学校）而提出一系列问题，因此这个论题一定属于规定性论题。

⊙第二篇

这篇文章没有指示词来直接指出结论，但是寻找结论的一个好地方不是在文章的开头就是在文章的结尾。具体到这篇文章，文章的最后一句话就是结论。你可以断定它是结论，因为它使用了"应该"这个词来给整篇文章一锤定音。这个词还显示出文章的论题是个规定性论题。它并不是在讨论一种存在方式看所述事物符不符合，而是在讨论事物应该以什么样的方式存在。这一论题是从结论中推测出来的，结论前面解释作者为什么得出这一结论的陈述也有助于我们找到论题。

论题：以儿童为对象的广告应不应该加以管理和控制？

结论：以儿童为对象的广告应该加以管理和控制。

Chapter

第 3 章

理由是什么

我们人类总是好奇为什么有人要做出这样的决策，为什么有人会持有这样的观点，而理由则为满足人们这样的好奇心提供了答案。请思考以下几个陈述：

（1）政府只应该保护精选出来的一批濒危物种使其不至于灭绝。

（2）遭蜈蚣蜇伤比被很多种蛇咬伤都更危险。

（3）学校应该有权搜查学生抽屉看有没有毒品和武器。

上述三个断言都缺少了什么东西。我们既可以同意，也可以不同意，但是以它们现在的形式，我们既不能说它经不起推敲，也不能说它经得起考验。这些断言都没有包含解释说明或逻辑依据来论证为什么我们应该同意它。因此，如果我们听到有人提出上述任何一个主张，我们都只有干瞪眼，急切想知道其所以然。

以上陈述所缺的部分正是支撑其论断的一个或多个理由。所谓**理由**，就是指用来支撑或证明结论的看法、证据、隐喻、类比和其他陈述。这些陈述是构建结论可信度的基础。在第 2 章里我们已经介绍了怎样找到论证大厦的两大柱石——论题和结论的必要方法，本章则主要介绍找到论证大厦的第三块柱石——理由的各种技巧。

　　当一位作家有个结论希望你接受的时候，他不但要提供各种理由来说服你他的结论是正确的，而且要证明为什么他的结论是正确的。

　　一个人有没有头脑，主要的标志就要看他能否提供充足的证据来支撑他的看法，尤其当这些看法存在争议没有定论时更是这样。举例来说，如果有人声称中国不久将取代美国成为世界上的头号霸主，这样的声言理应遭到以下挑战："请问你何出此言？"这个人的理由可能充分也可能不充分，但只有你提出以上问题并找出他的理由之后你才知道分晓。如果他的答案是："因为我就是这样认为的。"那么你一定对这样的论证极不满意，因为这个人的理由不过是结论的翻版而已。但是，如果答案是关于两国预计的军事支出和教育支出的证据，你在客观评价这一结论的时候就要认真考虑这些证据。请记住：**只有当你找到支撑结论的理由时你才能判定一个结论的价值。**

　　找到支撑结论的理由是批判性思维必不可少的一个步骤。只有我们问一问为什么别人持有这样的观点并且得到一个满意的答复，我们才能公正评价这一观点。关注结论形成的理由就要求我们虚怀若谷，容忍那些可能和我们不一致的观点。如果我们只对结论进行评价，而对其推理过程不闻不问，我们就会坚持自己在论辩或文章中所持的结论，对那些和我们观点相一致的结论立刻青睐有加。而如果我们想要重新审视一下自己的观点，我们就应该保持开放的心态和好奇心，即使我们目前还不能认同某人的观点，我们也要对他的理由细细加以琢磨。

理由和结论相结合，就构成我们在第 2 章中所定义的"论证"。

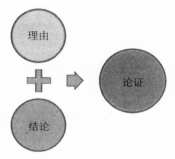

有时候，一个论证只包含单个理由和结论；但是常见的情况是，很多理由用于支撑某个结论。所以当我们谈到某人的论证时，我们可能在谈论单个理由和相关的结论，或者是一整套理由和它们将要证明的结论。

小贴士：所谓理由，即我们为什么要相信某个结论的解释说明或逻辑依据。

在我们使用的术语中，论证（argument）和推理（reasoning）的意思是一样的，都是指使用一个或多个想法来支撑另一个想法。这样，如果某个交流缺乏理由的话，那么它既不属于论证，也不是推理。所以说，只有论证和推理中才有可能存在逻辑错误。因为一个理由本身只是一个孤立的想法，它并不能反映出一种逻辑关系。

论证本身的几个特点值得我们加以注意：

- 论证必有其目的。人们展开论证的目的是希望说服我们相信某些事情或是按某些特定的方式行动，所以论证需要别人对之做出回应。不论我们的反应类似于海绵还是淘金者，我们一般总会做出回应。
- 论证的质量有高有低。我们需要依赖批判性思维来判定一个论证的质量高低。
- 论证有两个明显的必要构成部分———一个结论及其支撑理由。二者当中如果有一个我们找不到，也就意味着我们失去了客观评价这一论证的机会。我们无法找到的东西自然也无法对其做出评价。

最后一点需要进一步加以强调和说明。心急火燎地去推进批判性思维并没有什么意义。实际上，哲学家维特根斯坦就曾说过，一个聪明人和另一个聪明人说话时，大家总是先说："等一等！"花点时间找出论证之所在，然后再去评估我们认为别人说过的那些话，只有这样对提出论证的人才够公平。

他为什么相信这个观点

找到理由的第一步就是采取质疑的态度去接触每个论证，而你要问的第一个问题就是"为什么"你已经找出了结论，现在你想知道为什么这个结论有道理。如果一个陈述回答不了下面这个问题"为什么作者或演说者相信它"，那么这个陈述就不属于理由。要想成为理由，一个陈述（或一系列陈述）必须要被演说者用做结论的支撑或根据。

让我们将这种质疑的态度应用到下面这篇文章中。首先我们必须要找出结论，然后我们要适当地问一句"为什么"。请记住找出结论的那些指南。

①该不该要求飞行员随身携带辣椒喷雾器？②飞行员们在调查中谈到了他们的观点。③很多人表示他们从来不知道乘客会做些什么，他们认为辣椒喷雾器有助于确保乘客的人身安全。④有57%的飞行员认为辣椒喷雾器将增加飞行安全。⑤因此，航空公司应该要求他们的飞行员随身携带辣椒喷雾器。

紧跟"因此"后面的句子回答了第①句陈述所提出的问题。因此，结论是第⑤句陈述：航空公司应该要求他们的飞行员随身携带辣椒喷雾器。请给这一结论做上记号。

 小贴士：一个论证由一个结论以及支撑这一结论的各种理由组成。

然后我们问一问这个问题：为什么作者或演说者相信这一结论？回答这个问题的那些陈述就是理由。在以上这个例子中，作者给我们提供了调查得来的证据作为理由。第③句和第④句陈述共同提供了证据，也就是说，它们一起为结论提供了依据，因此成为支撑结论的理由。我们可以这样复述上述理由：大多数接受调查的飞行员都相信辣椒喷雾器有助于提高乘客的人身安全。

现在，请试着找出下面这篇文章中的理由。同上面的步骤一样，我们还是要先找出结论，做上标记，然后问一下"为什么"。

①不应该允许对人类胚胎进行基因筛查。②人们无权捉弄上帝，终止一个即将来到人世的生命，只因为他的性别不尽如人意或可能存在某种生理缺陷。③我有两个罹患自闭症的孩子，他们都活得很快乐。④我们不能说一个人的生活质量会因为出生缺陷而发生重大改变。

第一句当中的指示词"应该"显示出文章的结论：作者反对对人类胚胎进行基因筛查。作者为什么相信这一点呢？他给出的主要理由是"人们无权捉弄上帝，依据一套按照自己喜好制定的标准来决定终止一个即将到来的生命"。第③句和第④句一起提供了另一条理由来支撑作者的看法：作者本人拥有自闭症子女的正面经历显示，一个人的生活质量并不因出生缺陷而发生重大改变。

在你确定一个人的推理结构时，你应该把每一个好像被作者拿来支撑其结论的观点都当成理由，即使你根本不相信它实际上能为其结论提供多大的支持。在批判性思考的这个阶段，你一直在努力寻找论证之所在。因为你想对做出这一论证的人尽量公平，你就需要利用施惠原则（principle of charity），首先假设这个论证是最无懈可击的，理由很充分，然后再着手进行评价。如果作者或演说者相信他正在摆事实讲道理为自己的结论提供支撑，那么我们至少应该先考虑一下他的分析推理过程。后面还有大把时间来细细评价这一推理过程呢。

找到理由有提示词

如同寻找结论的情形一样，有些特定的词常常显示出紧随其后的往往就是理由。请记住：推理论证的基本结构是"甲之所以成立是因为乙"。这样，"因为"这个词，以及与之意义相同或功能相近的词，经常提示我们理由会紧随其后出现。以下是表示理由的一些提示词：

- 由于（as a result of）
- 因为这个原因（for the reason that）
- 因为这个事实（because of the fact that）
- 鉴于（in view of）
- 由以下材料支撑（is supported by）
- 因为证据是（because the evidence is）
- 研究显示（studies show）
- 第一，第二，第三（first…second…third）

理由是模具，结论据此成型

理由有各种各样的类型，主要取决于论题的种类。很多理由其实都是提供证据的一些陈述。这里所说的证据，是指人们用来为其断言为真的某些事提供证明的具体信息。持论者往往会诉诸很多不同类型的证据来证明他们的观点。它们包括事实、研究报告、生活实例、统计数据、专家或权威意见、当事人证词以及类比等。在某些情况下使用不同类型的证据比在另一些情况下更为合适，你将会发现，自己摸索出一套规则来确定哪种类型的证据在特定场合下使用较为合适将特别管用。

你经常要问："哪一类证据可以用来证明这个断言？"然后确定这样的证据是不是可以找到。你应该知道，世间并没有一套统一的"证据代码"（codes of evidence）适用于所有严肃的分析推理。本书第 7 章和第 8 章将对各种类型的证据展开较为详细具体的讨论。

当作者或演说者尽力证明一个描述性结论，对"为什么"这个问题的回答通常就是证据。

下面这个例子提供的就是描述性论证，请试着找出作者的理由。

> 美国非法移民的人数正在急剧下降。研究显示 2008 ~ 2009 年非法移民的人数下降了将近 100 万。

第一句陈述就是结论，你应该已经认出来了。这是一个有关非法移民下降人数的描述性陈述。作者在接下来的部分摆出了证据，也就是他得出结论的理由。请记住：**结论本身并不是证据，它是一个由证据或其他看法支撑起来的看法。**

在规定性论证中，理由常常不是一般性的规定性陈述就是描述性的看法或原则。下面这个例子就展示了在规定性论证中应该采用哪些类型的陈述来支撑其结论：

> ①今天的社会有各种各样施加给媒体的控制，比如说电视节目分级制。②这些分级制有没有考虑过让大家自己来理性选择看什么和不看什么节目？③这些分级制是不是怂恿了某些人去观看某个节目，即使他们明知道自己不应

该去看？④有多少父母事实上根据分级制来限制他们的子女观看某个节目？⑤电视分级制往往并没有有效阻止孩子们观看社会上认为他们年纪还小不宜观看的节目。⑥电视分级制只是不可强制执行的指导意见。⑦如果有人信奉为未成年人建立的这套媒体节目审查制度，那就应该使用诸如频道锁码功能这样的条款来达到目的，而不是简单地在电视屏幕上标出一个分级限制符号。

这里的争议在于电视分级制度是否可取。作者说如果社会真是关心孩子们在看什么节目，那就应该贯彻执行诸如使用频道锁码功能这样的条款，如第⑦句中所言。让我们来找一找可以回答"为什么作者会相信这一结论"的句子。首先，请注意这篇文章并没有提供什么证据。第②句和第③句一起构成一个理由，这是个描述性的看法：电视分级制度并没有重要到引起什么改变，它们甚至会刺激某些人去观看一些更加不健康的节目，而如果没有分级制度，他们也许根本就不会去看。警告意味并不强，可能让人以为这个节目也许根本就没有那么"坏"。

第④句和第⑤句提供了第二个理由：电视分级制度实际上并没有影响到人们对电视节目的选择，不论是对父母还是对子女而言都是这样。第⑥句提供了第三个理由：电视分级制度根本就不能强制执行。后两个理由都是一般性看法。如果作者有意要扩展他的论证，这些看法本身也许还需要其他类型的证据来加以支撑。

让理由和结论一目了然

有很多推理文章篇幅冗长、结构松散。有时候一整套理由只用来支撑一个结论，而这个结论又用于支撑另一个结论的主要理由。理由可能会由其他理由支撑。在比较复杂的论证中，当你试图客观评论自己阅读的东西时，常常很难将论证的结构在脑海里清晰地展现出来。为了克服这一难题，请尝试建立你自己的组织方式，将理由和结论分开，使其自成一套逻辑系统。

我们已经提到过许多技巧，使你可以用来建立一幅清晰可辨的推理结构示意图。如果你有更好的技巧，请务必要加以利用。重要的是，<u>当你打算评价它的时候，一定要让理由和结论变得一目了然</u>。

> **找到一篇文章中的理由并有效组织它们的一些线索**
>
> （1）圈出指示词。
>
> （2）用不同颜色的笔标出理由和结论，或者在理由下面画线，用彩笔给结论做标记。
>
> （3）在页边给理由和结论编上序号。
>
> （4）读完长篇大论后，在文章结尾处按顺序列出所有理由。

使用这个关键问题

一旦你找到理由以后，在进一步深入阅读或聆听时你需要一遍又一遍地重温这些理由。结论站不站得住脚主要取决于理由的扎实与否。**薄弱的理由必然导致薄弱的推论。**

先有理由，再有结论

我们在第 1 章中警告过你有关弱势批判性思维的危险。当有人持有一个观点而被你诘问得理屈词穷时，你会发现他好像是在编造新的理由（甚至是当场编造）来捍卫他先前的观点，这时你用来警惕弱势批判性思维的警铃就该响声大作了。当有人急于和你分享他的观点，好像这是确凿无疑的结论，而一旦他被问及有哪些理由时就变得一脸茫然或恼羞成怒，那很有可能也是弱势批判性思维惹的祸。

毫无疑问，你本来就有一大堆看法，当你遭遇争议的时候它们就变成你的原始结论。随着你对理由的重要性日渐推崇，你会经常性地期望那些结论能在支撑其理由的基础上屹立不倒或是轰然倒塌。随着你充分思考各种支撑理由及其内在含义，你将逐步得出最为稳妥和扎实的结论。

在这一点上你必须要做自己的审查官。在寻找金子的时候你必须不停摇晃自己的淘金盘。要竭力避免"逆向逻辑"或"反向推理"，这样做的理由不过是追加的一记马后炮而已，它们会随着你的结论而变化。**理想的做法是，理由是模具，结论据此得以成型和修改。**

轮到你自己写时，可得吸取教训

在学术写作方面你的推理能力可以说是最重要的一个环节。概述你的理由并为之辩护常常占据你的文章相当大的篇幅。而你的理由扎不扎实在很大程度上决定了你能否说服你的读者。因为理由至关重要，所以作者在写作前和写作中都要特别注意理由。

要做到这一点，我们希望你能认真考虑以下几点建议。

在作出结论前要探究可能存在的种种理由

在本章前一部分，我们奉劝你不要使用"逆向逻辑"或者"反向推理"。相反，一个关心批判性思维的作者会考虑到可能存在的种种理由并掂量它们的分量，然后才会做出结论。

在开始写作一篇文章之前，你需要投入的研究精力会因文章的不同而不同。有些情况下，你选定了一个论题作为你的写作任务，而你对这一论题所知甚少，需要从零开始去着手研究。例如，你可能在准备第一堂美术课的时候无意间读到对现代舞蹈家和编导阿尔文 • 艾利（Alvin Ailey, 1931—）的简介，撩起了你的兴致，你决定写一篇文章来讨论他，并利用这个机会来让自己获得更多知识。而在其他情况下，你手边已经有了一点背景资料然后才开始自己的研究项目。你甚至会选择一个项目，只因自己终身对其兴趣不减。比如说你对原版的《星球大战》一直充满激情，因此决定好好利用自己对它的兴趣来作为一个研究项目的跳板。

也许你已经是个崭露头角的专家，熟知《星球大战》、美式轮滑或计算机科幻文学，很可能你自以为不需要再做更加深入的研究了，但我们希望你能三思而行。哪怕你过去已经对这一论题下过工夫研究，你还是应该去探究其他可能存在的理由。一方面，你之前的研究也许是在你还未决定采用批判性思维标准的时候进行的，因此有可能显得武断和片面。更可能出现的情况是，以前的研究也许开展得并不正规，没有坚持不懈地去努力挖掘众多的理由和证据。还有一个原因你应该去探究其他可能存在的理由，那就是你之前的研究很可能已经跟不上形势和潮流了。

在 21 世纪，要探究潜在的理由，作者常采取的第一步行动就是一头扎进谷歌或其他常用搜索引擎里。虽然搜索引擎提供了难以置信的宝贵资源，如谷歌会为你提供 424 000 条有关阿尔文·艾利的搜索结果，或 6 050 000 条关于计算机科幻文学的结果，但很显然常用的搜索引擎通常范围太大而显得过于笼统，难以派上大用场。我们希望能为你提供几个建议，这样你的搜索就不会止于搜索引擎。

找到涵盖你的论题的主要刊物

如果你的论题是利用当前时事来探究政治或社会问题，比如公立教育改革或反恐战争，那就应当从主要的新闻出版物着手。《纽约时报》《华盛顿邮报》《华尔街日报》和《今日美国》都是美国读者看得最多的报纸。大学图书馆和公共图书馆都会订阅这些报纸。专业性的数据库（如 LexisNexis）也允许你从中搜索和访问这些报纸和其他主要报刊上的文章。很多报纸的网站至少都能让你免费阅读其中的一部分文章，包括我们上面提到的那四份报纸。

几乎所有人们感兴趣的领域都有主要的出版刊物，从音乐（如《滚石》《音叉》和《旋转》杂志等）到商业（如《福布斯》《财富》和《彭博市场》等）无一例外。花点儿时间仔细研究一下涵盖你所选论题的几家主要出版物，这样你对当前讨论的热点问题就有了最新的知识。你也要全身心地投入这些辩论，了解是什么论题吸引了其他论者的注意力至今尚无定论。你还可以利用你找到的文章作为跳板来做进一步的深入研究。例如，假设你对特拉华州 2010 年参议院选举的茶党候选人克里斯汀·奥唐奈

（Christine O'Donnell）的资格大感兴趣，在读过奥唐奈坦承自己年轻时曾"偶尔练习过巫术"以后，你决定要探究一下这个论题："候选人的个人经历应在多大程度上对选民构成影响？"

帮助读者确定你的理由

当你写作或演说的时候，你一定会时时刻刻惦记着自己的读者或听众。他们需要清楚地了解你的结论是什么，你为什么会得出这样的结论。这样你就要公开列举你的理由。

在特定的句子里尽量使用指示词和短语来帮助读者找到你的理由。有些词会向读者发出明确信号，告诉他们"以下是我的一个理由"，为了帮你在阅读中找到作者的理由，本章前面部分我们已经为你提供了很多这样的指示词。

另一个帮助读者找到理由的方法是给他们提供一份蓝本。所谓蓝本，就是相关文章或演说的提纲或内容梗概。你可以在文章一开始就简要介绍下你的理由，列出文章的提纲。这样读者就会知道从这篇文章里能获得什么信息。

—————————— 来，做做思维体操 ——————————

? 关键问题：理由是什么？

首先浏览一下文章，找出结论并做标记。然后问一下"为什么"，再找出理由。利用指示词来获得帮助。结论和理由要分开。尽量用自己的话复述理由，用自己的话复述有助于阐明它们的含义和作用。

⊙ 第一篇

公共游泳池有可能成为威胁健康的公害。很多公共游泳池并不能严格遵守卫生法，因此为水生细菌的感染提供了空间。研究表明60%的公共泳池都不能保证水里的氯含量达到正常水平，任由游泳者感染疾病。很多游泳者在使用公共泳池以后就开始患病。

⊙ 第二篇

全国的学校都在构建社区服务项目。到底该不该规定学生必须参加社区服务？规定学生必须参加社区服务有许多缺点。

学生被强迫参加慈善活动献爱心，他们就难以理解慈善和爱心的真正含义。强迫的慈善行为显得有违慈善活动的真正含义。如果因为社区服务并非他们的自愿选择而导致慈善活动对他们而言失去价值，他们就对社区服务这个想法产生怨恨，等他们走上社会后就不会主动参加社区服务。

另外，由于这些社区服务是强制的，学生不情不愿，做起事来自然也就马马虎虎。他们也许会觉得只要自己达到最低要求的劳动量就万事大吉。学生还有可能对他们的帮助对象心怀不满或态度粗鲁，这样也会妨碍社区服务的正常进行。由上可知，强制的社区服务对学校而言可能并不是最佳的备选项目。

⊙ 第三篇

中学阶段的男篮和男足常常一统周五晚上的节目单。应不应该是这个样子？这些比赛对中学经历而言自然意义非凡，可也不至于为此牺牲掉其他所有运动项目。仅仅因为它们有悠久传统并不意味着这种模式就一定要世代因循。

周五晚上腾出时间观看比赛对大多数父母和球迷而言自然要容易得多。因此，周五晚上他们亲自来看男篮和男足比赛自然也很容易。

那么女子篮球队或游泳队又怎么办呢？她们的比赛不应该总是被安排在周一到周五的下午和晚上举行。她们的家人经常不能腾出时间来观看她们的比赛，因为大多数父母下午都要上班。那些参加这些"二流"体育活动的学生根本没有得到聚光灯的平等关注。男篮和男足的日程表应该做出相应改变，为其他的体育活动腾出一点空间。

 给个提示 ————

⊙第一篇

论题： 公共泳池是不是一个健康的隐患？

结论： 是的，确实如此。

理由： 很多公共游泳池都不能遵守卫生法。

（支撑理由）

（1）60% 公共游泳池的

（2）很多人使用公共游

请回想一下，我们是在

为什么作者宣称公共游泳

两个理由来证明：一个调

始生病的断言。引出支撑

⊙第二篇

论题： 学校该不该帮

结论： 不应该，学构

理由： 强制的慈善

（支撑理由）

（1）规定的社区服务本身就自相矛盾，可能会引起学生今后对自发参与慈善活动的憎恶和抵制。

（2）因为强制的关系，学生参加社区活动不会尽心尽力。

1）学生只会做满足最低要求的劳动量，而不考虑什么对帮扶对象最有利。

2）学生有可能对帮扶对象态度恶劣。

为什么有人会告诉我们学校不应该规定学生必须参加社区服务？这个问题的答案就是作者的理由。第一条理由是由一系列事例和断言来支撑的，所有事例和断言都显示强迫的社区服务是自相矛盾的。"另外"是指示词，引起我们对第二个支撑理由的注意。注意我们已经在一定程度上复述（或用自己的话说出）了主要的理由。你会发现一个理由越长越复杂，复述一下就越有助于你准确找到这个理由。

Chapter
第 4 章

哪些词语意思不明确

本书第 2 章和第 3 章主要帮助你识别任意一个信息的基本构成要素。这时，如果你能找准一位作者或演说者的结论和理由，那么你已经大踏步迈向理性思考的终极目标——形成自己的理性判断。接下来的一步，就是将论证结构图放到更清晰的焦点之下细细审视。

虽然找到结论和理由为你提供了基本清晰的论证结构，但你还需要进一步检查这些部分的确切含义，然后才能公正地评价呈现在你面前的信息。这时你就要特别注意语言的细枝末节。

准确辨认关键词或短语的确切含义是决定你是否同意别人观点的必要步骤。如果你没有仔细核对起决定性作用的术语或词组的意思，也许你所评价的观点和作者的原意压根儿就风马牛不相及。

让我们来看看为什么把握交流者使用术语的准确含义显得如此至关重要：

旅游业现在已经处于失控状态。旅游业可能对经济发展大有裨益，但是它也会给地区环境和当地居民带来危害。我们应该采取更多措施来控制旅游业。如果我们任由这些人随心所欲地肆意妄为，我们作为原居民必定要深受其害。

注意，如果我们不深入了解作者心目中具体控制措施的类型，那我们简直不知道该对这个论证做出怎样的评价。他是要限制游客的数量，还是要对游客的行为制定一套准则？除非我们知道作者所建议的具体控制措施，否则我们评论起来就会狗咬刺猬无处下嘴。

这个例子说明了重要的一点：**只有理解了关键术语和词组的意思（无论是直接的还是含蓄的意思），你才能对一个论证进行评价。**怎样解释这些术语和词组常常关系到推理能否被接受。因此，在你决定自己能在多大程度上接受这样那样的结论以前，首先你要尝试找出结论和理由的准确含义。虽然它们的意思一般都好像很明显，但多数情况下并非如此。

发现并阐明准确的意思需要我们自觉遵循一套按部就班的步骤。本章就为读者指出了这样一套步骤。我们重点关注下面这个问题。

> ❓ 关键问题：哪些词或短语意思不明确？

让人捉摸不透的多义词

我们所使用的语言极为复杂。如果每个词都只有一种潜在的含义，而且大家都认同这个含义，那么迅捷有效的交流就更有可能实现。可惜的是，大多数词语都有不止一种含义。

想一想"自由"、"淫秽"和"公平"这些词的多重含义。这些词的多重含义在判断一个论证的价值大小时可能会带来很大的问题。例如，如果有人指出某本杂志根本就不该出版，因为它的内容很淫秽，只有在你了解了作者所指的"淫秽"这个词的准确含义后，你才能对他的论证做出客观评价。在这个简短的论证中，结论和支撑的理由都很容易找到，但是推理过程的质量却很难评判，因为"淫秽"这个词的具体意思模糊不清。这里我们提出一个警告：我们常常误解所读的文章或听到的言论的意思，因为我们常常想当然地以为很多词的意思都是显而易见的。

我们在读书或听讲的时候，一定要强迫自己去寻找那些意思不明确的词或短语，否则你就会抓不住要领。我们说一个术语或词组意思不明确，是指它的意思在我们所考察的论证的上下文语境里让人捉摸不透，我们需要有进一步的解释才能判断推理的过程是否恰当。

如果我们当中有人说话老是含糊其辞，这个人并不一定就做了什么错事或亏心事。事实上，很多文献，如美国宪法，都是有意要显得模棱两可，这样这份文献才能与时俱进，其中的关键词如"自由"、"携带武器"的不同含义才能适应不断发展的现实需求。诚然，因为我们与人交流时主要依靠词语来将自己的意思传达给他人，所以意思表达不明确的情况也就在所难免。但是我们能够而且应该避免的是在论证当中出现意思表达不明确的情况。如果有人想要说服我们相信某件事或者动手去做某件事，在我们认真考虑他的论证到底有多大价值之前，那个人首先就有责任澄清任何可能存在的歧义。

找准关键词

要确定哪些词或短语意思不清楚，第一步要以表述出来的论题为线索来确定可能的关键词。这里所说的**关键词**或**短语**，是指这些词或短语在论题的上下文语境里有不止一个意思可以解释得通；也就是说，在你决定是否同意交流者的论证之前，你觉得有必要请他进一步解释的那些词或短语。仔细核对一下表述的论题中专门术语的意思有很多潜在的好处，为了说明这种好处，让我们来看看下面几个论题：

（1）高收入能否带来幸福感？

（2）真人秀节目里展示的画面是不是对现实生活的一种歪曲？

（3）大学学生宿舍里的强奸案发生率是不是呈上升态势？

小贴士：歧义是指一个词或词组可能存在多重含义的现象。

以上所表述的每个论题中都含有一些作者或演说者需要进一步加以解释的词组，然后你才能评价他们对这些论题的回应。下列每个词组的意思可能都不是太清楚："高收入"、"幸福感"、"歪曲"和"强奸案发生率"。因此，当你读到一篇针对这些论题的回应文章，你就要特别注意作者如何定义这些词语。

要确定哪些词或短语意思不清楚，第二步要找出哪些词或短语在决定作者的理由能否支撑其结论方面起到关键性作用；换句话说，就是找出推理结构当中的关键词。一旦找到这些关键词，你就能判断它们的意思是否含糊不清。

在寻找关键术语或词组的时候，你应该牢记你找它们有什么目的。因为有人要你接受他的结论，所以你只需要去寻找那些影响你接受其结论的词或短语。这样说来，**你应该在理由和结论中寻找这些词或短语**。那些不包括在基本推理结构内的词或短语就可以"从淘金盘里扔出去"。

还有个寻找关键词或短语的好帮手，就是牢记下面这个原则：一个词或短语越抽象，人们越有可能对其做出多重解读。

为了避免在使用"抽象"这个词时意思不明确，我们通过以下方式对其定义：当一个词所指代的对象离特定的、具体的事例越来越遥远，它的意义也就变得越来越抽象。因此，诸如"平等"、"责任"、"色情"和"侵犯"这些词，就比"可获得相同的生活必需品"、"直接引起某一事件的发生"、"男女生殖器图片"和"故意伤害他人身体"这些短语要抽象许多。这些短语提供了更加具体的图像，因此就不会显得模糊不清。

检查论题看有没有关键词

在理由和结论中寻找关键词或短语

留意抽象的词或短语

通过反串来判断别人怎样给特定的词或短语下不同的定义

找到关键词的线索小结

你还可以通过反串（reverse role-playing）来找出潜在重要的又有歧义的短语。问一下自己，如果你采取与作者相反的立场，你会不会选择用不同的方式来定义某些词或短语？如果是这样，你就找到了一处可能存在的歧义。例如，"对动物残忍"这个短语，喜欢看宠物秀的人给出的定义肯定和不喜欢看宠物秀的人大相径庭。

检查有没有歧义

现在你知道在哪儿找意思不明确的词或短语了，接下来要做的是重点关注每个词或短语，问一问自己："我知不知道它的意思？"要回答这个重要问题，你需要克服几个主要障碍。

第一个障碍是你自认为和作者表达的是同一个意思。因此，在开始寻找之前，你就需要避免这种和作者心心相印的想法。你要养成不断提问的习惯，不停地问"你这样说是什么意思"，而不是"我就知道你是这个意思"。第二个障碍是认为术语只存在一个明显的定义。很多术语其实都不是这样。因此，别忘了问一声："这些词或短语中有没有哪个会有不同的意思？"

做以下测验，你就能肯定自己已经找到了一个意思不明确的重要术语。如果你能找到一个术语的两种或两种以上不同的含义，每种含义放到这个论证的上下文语境里都说得通，假如你选择不同的含义，其理由支撑结论的效度就会大受影响，那么你就已经找到一处重要的歧义。因此，判定你是否找到一处重要的歧义，最好的检测方法就是将这个词的不同含义替换到推理论证的结构中，看看改变这个词的意思是否会对理由支撑结论的效度产生重大影响。

使用这个关键问题

前面一段需要你全神贯注地加以细读，它详细说明了将这个有关歧义的关键问题付诸实践的具体步骤。一旦按照这个步骤来做，你就可以对自己或其他人说明，为什么这个推理还需要进一步完善。虽然你也想相信别人说的话，但作为一个批判性思考的人，你就是不能轻易同意他的分析推理，直到他将影响推理过程的那些意思不明确的地方解释清楚才行。

判定歧义

现在让我们利用上文提到的线索来帮助我们找出交流者使用的哪些关键词意思不明确。记住：做这个练习的时候，你要不断地问："作者这样说是什么意思？"尤其要注意抽象词语的使用。

我们将从简单一点的推理结构——广告开始：

"大家牌"（OurBrand）催眠药：30 分钟见效。

论题：你应该购买什么样的催眠药？

结论（暗含）：购买"大家牌"催眠药。

理由：30 分钟见效。

短语"购买'大家牌'催眠药"和"30 分钟"的意思显得很具体、很清楚。但是，"见效"这个词怎么样呢？这个词的意思是不是很清楚？我们认为并不是这样。何以见得？让我们一起来做个测验。"见效"这个词可不可能有一个以上的意思？当然有可能。它可能意味着这种催眠药让你昏昏欲睡。它也可能意味着这种催眠药让你一下子昏睡过去，直到第二天早上也醒不来，或者它还可能有许多其他的意思。如果说这种药很快"见效"，意思就是它的效果恰如你心中所想的那样不多不少，那你是不是更加急不可耐地要听从广告的建议呢？因此，这个地方的歧义就显得很重要，因为它已经影响到你能否被广告说服的程度。

广告词里常常充满了意思模棱两可的词语。广告商有意使用这些歧义词来说服你相信他们的产品比所有竞争对手的产品都要棒。下面的广告词样本里都有意使用了一些意思不明确的词语。看看你能否找出黑体词其他可以解释得通的含义。

> 疼痛消（No-Pain）是**超强**止痛药。
>
> 这本书千呼万唤始出版，它将告诉你如何找到**好男人**，并让他对你不离不弃。

在每个例子中，广告商都希望你把最具有吸引力的意思安到这个意思不明确的词语上。批判性思维有时候能为你保驾护航，让你不贸然做出事后追悔的购物决定。

下面我们来看一个较为复杂一点的例子，其中同样使用了意思不明确的词语。请记住，一开始就要找准论题、结论和理由。千万抑制住自己，不要记下任意一个词语或全部词语的不同含义。对批判性思考的人而言，**只有出现在分析推理过程中，意思不明确的词才最为关键。**

> 我们绝对有必要对晒皮肤施加一点限制。晒皮肤构成实实在在的健康威胁，会带来很多严重后果。研究表明，那些晒皮肤的人罹患皮肤疾病的危险大大增加，这些都是暴晒的结果。

让我们检查一下作者的推理，看看有没有词或短语会影响到我们接受这一结论的意愿。

首先，让我们检查一下论题中有没有我们希望作者进一步解释清楚的术语。毫无疑问，我们只有等到作者明确指出他所说的"晒皮肤"到底是什么意思，才能同意或者不同意他的结论。他是指在户外晒皮肤还是人工晒皮肤？这样，我们就想进一步查看他在推理中所下的定义清晰不清晰。

其次，让我们列举出结论和理由中所有的关键词和短语："健康威胁""严重后果""研究表明""晒皮肤的人危险大大增加""皮肤疾病"和"我们有必要对晒皮肤施加限制"。让我们进一步查看这些词来判断它们有没有可能还有别的意思，且这些意思可能会对我们如何评价其推理过程产生重要影响。

第一，作者的结论是模糊的。"对晒皮肤施加限制"到底要表达什么意思？是不是意味着要禁止人们使用人工晒肤色器具，还是意味着要限制人们晒肤色的时间长度？在你决定是否同意作者或演说者的意见之前，首先你要判断他到底要我们相信什么。

第二，他说"晒皮肤的人罹患皮肤疾病的危险大大增加"，上面我们已经说过我们不确定他所说的"晒皮肤"到底是什么意思，但这里他所说的"皮肤疾病"又是什么意思呢？他可能是指由太阳暴晒引发的任何形式的疼痛感，也可能是指像皮肤癌那样的严重疾病。如果他要说服我们相信晒皮肤带来的危险和他关于限制晒皮肤的结论，那么搞清楚他指的到底是哪一类的皮肤疾病就显得至关重要。我们可以试着在脑海里想象一下这些短语所代表的现实画面。如果想象不出来，说明这些短语的意思就不明确。如果不同的画面会导致你对其理由做出不同的评价，那你这时就找到了一处重要的歧义。

现在，你可以查看一下我们列举的其他短语。它们需不需要进一步的解释和说明？从这一点可以明白，如果你没有要求作者将这些意思不明确的词语解释清楚就贸然接受了他的论证，那你根本就不理解你同意或接受的到底是什么。

看看上下文，这才是它的真实含义

写文章和做演讲的人很少会给关键词下定义。因此，通常情况下你要理解一个模糊不清的陈述到底是什么意思，唯一可以依靠的就是这些词语使用的上下文语境。这里所说的**语境**（context），是指作者或演说者的背景。这一词语在具体论证当中的习惯用法，以及可能出现的歧义词前后的其他词语和陈述，这些因素合在一起为潜在的关键词句的意思提供了线索。

如果你想搞清楚一篇文章中"人权"这个词语的意思，你应该先问自己："人权到底是些什么权利？"如果你检查一下这个词出现的语境，最终发现作者是挪威政府的一个主要领导，那你基本可以确定他脑海中所谓的"人权"是指就业权、免费医疗权和居住权。而一个美国参议员所说的"人权"意思可能完全不一样。他心目中的人权可能是指言论自由权、宗教信仰权、旅行权以及和平集会权。注意，这两个版本的人权并不需要彼此一致，一个国家可能在保障一种形式的人权的同时侵犯另一种形式的人权。你必须努力通过检查上下文语境来弄清楚这些词的确切意思。

作者常常通过论证来阐述清楚某个术语在他们心目中的含义。下文就是一个例子：

　　　　游乐园给多数游客带来了极大的满足。受调查的人

超过半数以上都认为游乐园的游戏项目应有尽有，骑乘
设施种类多样，他们很快就会再次光临这里。

"带来极大的满足"这个短语意思可能有点不明确，因为它可
能会有很多种意思。但是，作者的论证清楚地表明，在本段的语
境里，"带来极大的满足"意思是游客喜欢"游戏项目应有尽有，
骑乘设施种类多样"。

注意，即使在这个例子里，你在进园游览之前还想要得到进一
步的解释，因为"游戏项目应有尽有"的意思也不明确。也许你还
想进一步了解到底有多少游戏项目或骑乘设施，或者其中到底有些
什么样的游戏和骑乘设施？很可能尽管游乐园里的游戏项目应有尽
有，但所有的游戏项目都已经过时了，或者不再受欢迎了呢？

使用这个关键问题

集中讨论歧义现象的关键问题为你提供了一个不偏不倚的基
础，让你可以理直气壮地不同意某些推理论证。如果你和想要说
服你的人在论证过程中对术语的意思在理解上有偏差，那么你首
先就要解决这些偏差，然后才能接受他为你展示的推理过程。

要仔细检查上下文语境来判定关键词或短语的意思。如果意
思还是难以确定，那你就发现了一处重要的歧义。如果词语的意
思很清楚但你却不认同，那你就要警惕包含这个术语或短语的任
何一个推理论证。

字典里的定义不一定适合文章里的情境

前面的讨论让我们明白了一点，要找到并解释清楚歧义，首

先我们必须知道这些词可能包含的意义。意义通常表现为下列三种方式：同义替换、举例说明以及我们通称的"具体标准定义"（definition by specific criteria）。举个例子，对于"忧虑"这个词，我们至少可以找到三种不同的定义方法：

（1）忧虑就是感到紧张不安。（同义替换）

（2）忧虑就是候选人打开电视收看选举结果公布时的心情。（举例说明）

（3）忧虑是一种主观上的不适感，伴随有自主神经系统越来越强烈的感受。（具体标准定义）

要对大多数有争议的论题进行客观评价，同义替换和举例说明这两种定义方式都不合适。它们并不能明确告诉你对清楚理解一个术语的意思起决定作用的那些具体特征。有用的定义则会指明具体的使用规则，而且越具体越好。

到哪儿去找你需要的定义呢？有个很明显又很重要的来源就是字典。但是，字典上的定义常常包含了同义替换、举例说明或是使用规则的不完全说明。这些定义在具体的文章中常常难以确切地界定术语的使用。在这种情况下，你就得从文章的上下文语境中找出这个词的潜在含义，或者从你对这一讨论主题了解的其他知识里发掘其意思。我们建议你手头常备一本字典，但同时要知道字典里可能并不包含你所要找的合适的定义。

让我们来看一看字典定义中存在的一些不合适之处。阅读下面这段文章：

> 这所大学的教育质量并没有出现滑坡。我在访谈中发现，绝大多数学生和老师都说他们在这儿根本看不出

有什么教育质量滑坡的现象。

大家都知道在上面这一段中弄清"教育质量"这个短语的意思非常重要。如果你在字典中查"质量"这个词,你会发现它有很多种意思。考虑到这个词出现的语境,它最合适的意思就是"杰出度"(excellence)和"优越性"(superiority)。"杰出度"和"优越性"是"质量"的同义词,它们都比较抽象。你还是想准确地了解到底"杰出度"和"优越性"是什么意思。你怎么知道教育是"质量高"还是"杰出程度高"呢?理想的做法是,你希望作者准确地告诉你,他在使用"教育质量"这个词组的时候到底是指怎样的一种表现。你能不能想出什么不同的方式来给这个词组下定义呢?下面我们就列出了"教育质量"这个短语可能存在的几种定义:

- 学生的平均成绩
- 学生批判性思考问题的能力
- 有博士学位的教授人数
- 考试过关通常要付出的劳动量

每个定义都暗示了一种衡量教育质量的不同方法,每个定义都有不同的具体衡量标准。每个定义都提供了这一词组可能存在的具体使用方法。注意这些定义每个都有可能影响到你想同意作者推理论证的程度。例如,如果你认为这里的"质量"应该指学生批判性思考问题的能力,而大多数受访的学生都把它定义为考试过关要付出的劳动量,那么你的理由就不一定能支撑结论。考试过关也许根本就不需要有批判性思考问题的能力。

因此,在很多说理论证中,你并不能从字典里找到合适的定义，而上下文语境又不能让意思变得清晰。还有一种方法可以帮你发现这个词可能存在的其他含义，那就是尽量在脑海中想象这个词所代表的具体景象，如果你想象不出来，那你很可能就找到了一处重要的歧义。让我们用下面的例子来检测一下：

> 我们公司一直都有很多能干的员工。如果你加入我们的员工队伍，那你立刻就能享受我们刚谈到的那个工资级别，当然，还有好多额外的福利。我希望你在选择就业的时候考虑一下所有这些因素。

上面这段明显是劝说某人到其就职的场所去工作的论证，理由就是工资和"额外的福利"。你能不能在脑海里想象出一幅清晰的"额外福利"的画面？我们每个人都有这样那样的想法，但是这些想法完全相同的概率实在微乎其微，实际上，它们很有可能是千姿百态的。"额外福利"是指医疗保险，还是指一间拐角的新办公室？我们要评价这个论证，就得知道作者所指的"额外福利"的具体含义。因此，我们就找到了一处重要的歧义。

小心那些饱含感情色彩的词语，它会让你的思维短路

> 你认为哪个对社会的威胁更大：**全球变暖**还是**气候改变**？
> 你更愿意投票支持**税收宽免**还是**税收减免**？
> 你是不是更愿意投票支持削减**死亡税**而不是**遗产税**？

研究表明，人们对上述句子中出现的黑体词汇有不同的情感

反应，尽管这些词的意思基本相同。美国人对税收宽免这个词的反应要比对税收减免更为积极，他们更愿意支持削减死亡税而不是遗产税。人们对这些选用的术语和词组的不同情感反应会大大影响到我们对论证的评价。术语和词组既有外延意义又有内涵意义。外延意义是指使用一个词的约定俗成的外在描述性的指称对象，也就是我们在本章目前为止反复强调的这类意义。但是词语还有一层重要的意义也需要引起我们的注意，那就是词的内涵意义。内涵意义是指我们对术语或词组所附加的情感上的联想意义。例如，"增税"这个词对人们来说外延意义大致相同，但是每个意义所激发的情感反应却大不相同。那些激发强烈情感反应的术语被称为附加感情色彩的术语（loaded terms）。它们感动我们的能力大大超越了它们本身的描述性含义。这些术语给批判性思维带来了极大的麻烦，因为它们暂时让思维短路，通过直接连通情感线路来绕过描述性的意义通道，从而欺骗了人们的思想。

歧义并不都是偶发性的事件。那些想要说服我们的人常常清醒地意识到一个词有多重含义。而且，他们知道某些含义携带了强烈的感情色彩。诸如"牺牲"和"公平"这样的词就有多重含义，其中有些含义因为激发我们心中的特定感情而获得了附加的感情色彩。任何一个想利用语言来激发我们情感共鸣的人都会利用这些可能藏在我们心中的感情。他们既可以使用激发我们心中对某些想法的正面情绪反应的语言，也可以使用抑制我们心中负面情绪反应的语言来达到目的。

例如，美国在阿富汗和关塔那摩主管监狱的军方官员急着要避免人们得出这些监狱鼓励大量犯人自裁的印象，但是大量犯人确确实实是在那里自行了断的，而军方不管怎样都必须要统计这些死亡人数，所以他们就别出心裁地创造了一个"惩罚自己的危险事故"这样的死亡类型，使他们既可以承认这些死亡人数，又不用给他们贴上自杀的标签。在这里，"惩罚自己的危险事故"这个短语的意思不明确并不是偶然造成的，它是刻意用来淡化人们对其指代对象的情感反应。

政治语言常常添加感情色彩而且意思模棱两可。例如，"福利"这个词常被我们用来指政府为那些我们不喜欢的人提供的帮助；当政府的帮助提供给那些我们喜欢的人，我们就称之为"扶贫"。下表中列举的是一些政治术语和它们希望取得的情感效果。

模棱两可的政治语言

术语	情感效果
恢复（restoring）	同意征税提案
公平（fairness）	改变
恐怖分子（terrorist）	野蛮、疯狂、未开化的
改革（reform）	期望的改变

表中所有词的意思都模棱两可，暗含有影响力的感情联想。作为批判性思考的人，我们必须要保持敏感，知道这些词希望达到的情感效果和它们故意模棱两可以激发这种情感效果的作用。**一定要对术语引发你怎样的感情保持高度警惕！** 这些感情有没有蒙蔽你，让你看不到这些术语的某些重要特征？通过明确它们的外延意义，找一下诸如"改革"这类词可以替换的其他意义，我们就可以保证自己不会轻易从感情上迷恋某些论证，而对其不作任何怀疑。毕竟，哪怕是最危险的政治改变，从某种程度上来说也是一种"改革"。

诺曼·所罗门（Norman Solomon）的《不知所云的威力》（*The Power of Babble*）就为我们提供了一幅精彩纷呈的画面，展示了玩政治的老手如何轻松利用模棱两可的语言来说服他人。注意所罗门特意将关键的模棱两可的词按顺序排列,以方便我们阅读。

> 美国胜利归来(两党相互角力),各自紧咬牙关顶住激烈竞争、外交斡旋、高效运作、权力下放、收拾残局以及环保主义的压力,同时怀揣对开国先烈的信念,信奉自由之神的庇佑,信奉自由市场和民族自由,最主要的是,信奉上帝。我们最大的一笔遗产一直与下列种种藕断丝连:人权、个人主动性、公正、子女、领导才能、自由、忠贞、主流价值观、市场、审慎反应、民族大熔炉、中产阶级、军事改革、中庸稳健、现代化、道德标准、国家安全和美国国旗。我们的机会来源于乐观主义、爱国主义、有实力保障的和平、美国人民、多元主义和星星点点的希望之光。实用主义和祈祷的力量有利于建立行为准则,而私营经济则保证了公共利益。现实主义可以指循环利用、自律和反抗精神,同时也带来了社会稳定、战略利益的制高点和高效率的税收。山姆大叔从独立战争时代的福吉谷(Valley Forge)战场到现在,一直胸怀老兵敬畏的那些价值观——警惕性、魄力、梦想、自觉自愿和西方价值观,英勇无畏地一路向前。

谁想要说服你,谁就得负责解释清楚

在你竭尽所能地找出并消除掉有歧义的地方以后,如果你对某些关键想法的准确含义还是拿不准,那又该怎么办呢?接下来应该采取什么合理步骤呢？任何一个理由如何其中包含了歧义，让我们无法判断能否接受这个理由，那我们建议你干脆忽略它。作为一个积极主动的学生，你有责任提出各种问题来消除歧义。但你的责任到此为止。作者和演说者才是努力要说服你接受某些观点的人。身为说客，他有责任回答你对可能存在的歧义的各种关心。

你没有义务来评价那些不明确的想法或选择。如果有朋友告诉你应该选修某一门课程，因为这门课确实"与众不同"，但是他却不能告诉你与众不同的地方在哪里，那你就没有依据来同意或是不同意这个建议。如果他不能提供一幅清晰的说理论证的画面，那他就没有权力强迫你相信他。

这里再提供最后一个例子来说明一下歧义的力量。想想这场最后的法庭较量所牵涉的亿万美元。世贸中心一个租户签订的保单里包括了"每一桩事故"的承保范围限制。"9•11"事件以后，这个租户要求保险公司赔付高达千百亿美元，给在"9•11"灾难中身亡的每一位员工尚活着的家人。他对"每一桩事故"的理解是在这桩事故中死亡的每个人。而保险公司则回答说只发生了一桩事故，就是世贸中心大灾难，而这份保单包含了一条"每桩事故最高赔付 35 亿美元"的保险条款。

轮到你自己写时，可得吸取教训

想象一下你正和室友展开一场热烈的讨论，这场讨论最后以这样一句话作结："我怎么说你都不懂，你家里都是有钱人。"读完这一章以后，你就知道"有钱人"这个词是附加了感情色彩的

词汇，充满了不确定性。每个使用这个词的人都给这个词附加了
他自己的文化、意识形态和个人经历上的意义。对于一个刚入籍
的难民家庭而言，"有钱人"就意味着有固定工作并且能满足基本
的生活需求。而对另一个人而言，它也可能意味着一份稳定的可
以按月领薪水的工作。再换一个人，资产达不到六位数以上的在
他看来都算不上有钱人。这个词拥有几乎无穷无尽的不同含义，
每个含义都合乎逻辑。因此我们很容易就能理解为什么真正意义
上的交流显得异常困难。在交谈中，两个人至少还有机会立刻把
潜在的不明白之处拿出来讨论清楚，然后再继续讨论下去。而写
作就另当别论了。

　　一个人独自写作的时候，只有手提电脑与你作伴，你面临着
巨大的挑战。在写作的孤独中，你一定要抵制住诱惑，千万不要
以为这个词的定义众所周知。这样你很容易就会忘记不同文化、
不同经历和不同思想之间的巨大分歧，所有这一切都会给词语添
加一层层的含义。为了帮你克服这个困难，我们提出以下建议。

要时刻留意歧义

　　效率高的作者总是力求文章表达清楚。他们会反复回想自己
要说的话，找出任何一个有可能模棱两可的陈述。因为作者自己
很清楚自己要表达的意思，这样要找出对读者而言可能不太明确
的地方就是个艰巨的任务。

　　要帮你完成这一任务，最好采用反串的方法，这个方法我们
在本章曾经讨论过。当你留心到某个潜在的歧义，反串让你有机
会发挥自己的创造力。尽量采用一个来自不同文化的人或一个有
不同政见的人的思维框架。从另一个人的视角来探究你的论证，

可能会把你的注意力吸引到你之前并没有意识到的不明确之处。

在研究刚开始的时候，我们希望你全身心沉浸到流行刊物和专业刊物上与你的论题有关的那些持续不断的讨论中。还有个检测你的关键词是否不明确的方法，就是回到这个研究中来。在这些持续的讨论中众位作者是否就某些具体的术语展开争论，还是大家都在使用同一个短语而意思却有所不同？如果你注意到关于某个术语的争论，那么再检查一下你自己的写作任务。你有没有使用这个术语，还是使用了一个意思相近的词语？如果是这样，那你现在知道自己应该小心谨慎、明白无误地说清楚你是怎样使用这一术语的。

写作本来无须是一种完全孤独的活动。要避免认为你的关键词意思众所周知，我们最后给你的建议是展开一场对话。把你的结论和理由拿出来和别人分享，比如朋友或同学。要鼓励他们多提些问题。注意他们使用这个术语的方法是否和你有明显的差别。

在你判断某个潜在的歧义需不需要进一步加以解释之前，先花点时间想想你的读者和听众。有些读者和你拥有一套相同的思想和语言。如果你和一群物理学家一起使用"转矩"（torque）这个词，那么这个词就有一个具体而又众所周知的定义，即一种具体可测量的力。如果你在一群摩托车发烧友中使用这个词，这个词就有了另一个具体而相关的含义。在这群人中，这个词大多只限于指他们摩托车发动机的功率。当一个摩托车手向另一个车手形容他的车的优点，他并不需要限定这个词的用法。想一想你心目中的读者或听众的特点，可以帮助你决定哪里的歧义需要进一步阐释清楚。如果你的写作是面向一群专业人士，对一般读者而言显得非常模棱两可的术语和特殊的专业词汇，他们则可能完全理解。这个现象还可以进一步延伸到共同的课程中。比如在你的高年级心理学研讨课上，你无须像面对一群没有上过这门课的学生那样，绞尽脑汁地给心理分析或退化现象这两个术语下定义。

相反，如果你的写作是面向一群普通读者，请牢记你所使用的专业性语言也许会让他们觉得云山雾罩，这样你很快就会与他们失之交臂，而且可能再难重新吸引他们的注意力。

一旦你判断自己的论证里有个词意思不明确，就一定要解释清楚。在你说服别人接受你的结论和理由之前，你一定要确保读者和你面对的是同样的结论和理由。如果你害怕自己的表达不明确，那就仔细界定你的术语。

············——————————————— 来，做做思维体操 ·················

? 关键问题：哪些词或短语意思不明确？

在下面的文章中，请找出意思不明确的例子。解释一下为什么这些例子影响到说理的效果。

⊙ 第一篇

学校的着装规定是对不当着装的限制，目的是营造一种专心致志的学习氛围。如果一个学生衣着不当地来上课，就有可能极大地分散其他同学的注意力。在校期间使用着装规定并不是限制学生的表达自由。不同于要求学生统一着装，着装规定仍旧允许学生自由选择自己的服装，只要不是被视为不当着装即可。

⊙ 第二篇

我们对药物使用应该像对言论和宗教信仰一样，将其作为人的一项基本权利而听任自由。没人必须得服用他不想要的药物，正如没人必须要阅读他不想读的书一样。国家对这类事情施加管控的唯一理由就是为了管制自己的人民——替他们挡住外来诱惑，就像家长管制子女那样。

⊙第三篇

政府需要大大削减美国的外来移民人数。美国现在已经人满为患，我们开始深受其害，比如居高不下的失业率和日渐严重的水污染。同时移民也开始危及美国的文化。

 给个提示

对于第一篇练习文章，我们的参考答案将和你一起深度分享"自问自答"这种模式的批判性思考全过程，在本章和前两章中我们已经细细描述过这个过程。

⊙第一篇

• 如果这篇文章有什么重要的歧义之处，《学会提问》这本书告诉我可以在论题、结论或理由中找到。所以第一步就是在论证中找出这几个部分。这篇文章既没有明确说出论题，也没有明确说出结论，也没给出明确的指示词。我只有利用其他工具来找出论题和结论了。要找论题，这本书告诉我要问一问："作者是对什么进行评价？"着装规定，我想是吧。着装规定是不是个好主意。好了，这样我就可以把这个意思重新整理成一个问题："学校该不该有着装规定？"这篇文章所有的句子都在说服我学校应该有一套着装规定。因此结论一定是："是的，学校应该有一套着装规定。"

- 同样，这里也没有指示词来帮我找到理由。因此我只有试试别的方法。要找到理由，我就得先把自己放到作者的位置上，然后问："为什么学校要有一套着装规定？"我可以从这篇文章里推测出两个理由：首先，奇装异服容易分散学生的注意力；其次，着装规定并不违背学生的表达自由。

- 既然我已经将论证分解到最基本的单元，现在我就可以着手找出重要的歧义了。我要首先找出论题、结论和理由中的关键词和短语，因为这些词和短语对于论证起到决定作用。它们在这个语境里可能有不止一种说得通的含义。例如，它们可能是抽象词汇或者附加感情色彩的语言。"不当着装"无疑是这个论证中一个重要的因素，而作者根本没有告诉我什么样的服装才属于不当着装。我怀疑这个词是不是还有别的意思可以说得通。

- 据我所知，"不当着装"就是衣服上面印有伤害人或侮辱人的字句。如果这样的话我也会禁止它们在学校里招摇过市！取笑他人的 T 恤衫自然属于不当着装，这一点对我来说非常清楚，当然了，本书会说也许我觉得一个术语的定义是显而易见的，哪怕根本不是这样。所以我应该不断追问：这个词组会不会有不同的意思呢？

- 本书建议的一个线索是要留意观察抽象词汇的意思，如"淫秽"和"责任"等。这些词是抽象词汇，而且意思模糊不清，因为它们没有为我们提供明确的定义，或没有一套判定的标准。本文中提到的"不当着装"同样也没有一个明确的定义，没有一套判定的标准。作者从没有提到"不当着装"的意思是 T 恤上面印有伤害人的文字。这个意思是我假设

的，因为在我看来这些 T 恤就属于不当着装。作者也没有说
"不当着装"的意思是女生裙子短到一定地步，或是男生裤
子短得能让人看见内裤。这个术语看起来比我一开始想的意
思要模糊一点。

- 在我确凿认定之前，我想试一试反串这个建议。反对这个结
论的人会怎么定义"不当着装"这一短语？持反对立场的人
也许会反驳说，着装规定确实限制了表达自由。学生穿衣服
是希望表达哪些东西呢？ T 恤上面经常可以看到政治信息。
我就看到过年轻人穿着反战口号或支持他们喜爱的总统候选
人口号的 T 恤衫。反对着装规定的人可能担心学生表达对重
要问题关切声音的那种权利遭到剥夺。

- 呵呵。现在我被困住了。如果作者是在讨论 T 恤衫上印着
伤害人的信息，那我同意他的观点，让我们禁止好了。但是
如果作者讨论的是限制学生表达政治观点的权利，我强烈反
对。我对这个论题无法做出决断，除非消除掉这个歧义。

⊙ 第二篇

论题： 国家该不该控制药物使用？

结论： 国家不应该控制药物的使用。

理由：（1）正如言论自由和宗教信仰自由一样，药物使用也
　　　　　　是人的基本权利。

　　　　（2）国家控制压制了民众，不准他们对自己的自由行
　　　　　　动负责。

这篇论证的关键短语是什么？它们是"药物使用"、"基本权
利"和"压制民众"。首先你想判定这些词的意思。作者所谓的
"药物使用"意思是否清楚？不是。文章提供的有限的上下文语境

并没有显示出一个恰当的定义。如果"药物使用"指的是摄入大家并不认为特别容易上瘾的药物，比如说大麻，那么与作者把海洛因也包含在他对药物的定义之内相比，你是不是更容易接受这个推理？你能不能从论述中搞清楚作者是指全部的药物，还是指小部分目前遭到管制的药物？要能做到同意或是反对作者的意见，在这个例子里作者需要进一步解释清楚"药物使用"这个词的含义。注意"基本权利"和"压制民众"也需要进一步解释和澄清，这样你才能决定是否同意作者的意见。

Chapter

第 5 章
什么是价值观假设和描述性假设

　　任何一个想要说服你相信某个立场的人都会尽量拿出与其立场相一致的理由。因此，乍一看，几乎每个论证都显得"有道理"，其外表结构看起来都显得完美无缺。但是表面的、明说出来的理由并不是唯一用来证明或支撑其结论的想法。有些内在的没有说出来的看法在透彻理解论证方面所起的作用可能至少和表面理由同样重要。让我们思考下面这个论证，考察一下这些没有说出来的想法的重要性。

　　地方执法机构应采取更多措施来强迫乱丢垃圾者承担严重后果。很显然，人们不会积极主动地遵纪守法，因此城市警察必须采取行动。如果不强制执行法律，我们又怎么能期望会有改变发生？

　　乍一看，这个论证的理由支撑了其结论。如果城市期望其市民在行为上有所改变，城市的执法机构必然就得强制实行这种改变。但是也有这种可能，给出的理由确实有道理，但并不足以支撑其结论。如果你认为制止乱丢垃圾的行为是个人的责任而不是政府的责任呢？这样，从你的角度来看，上述理由就不再能证实其结论了。只有你认同作者以为是理所当然而没有明说的那些特定的想法，这个论证对你而言才是可以信服的。而在这个例子里，作者认为理所当然的一个想法就是有一种价值观（集体责任）要比另一种价值观（个人责任）显得更重要。

　　在所有的论证中，都有一些作者认为是理所当然的特定想法。但通常情况下作者却不会明说出来，你只有在字里行间仔细推敲才能发现它们。这些想法是推理结构中重要的无形纽带，是将整个论证联系在一起的黏合剂。它们回答了一个非常重要的问题："必须得有什么样的想法才能将理由和结论从逻辑上联系起来？"这些联系的必要性看起来必须很明显。没有了这些联系，在成千上万不同的想法中人们又怎么能判断哪些才有资格充当理由？只有当你提供了这些联系之后，你才能真正理解这一论证。

　　如果你没找到这些潜在的联系，你常常会发现自己不知不觉就相信了一些观点，这些观点如果你稍加考虑的话就绝不会接受。请记住：**一个论证表面可见的部分常常最有可能穿上华丽的外衣**，因为展示这个论证的人总希望能说服你，让你全心全意地接受这个论证。本章对于培养你成为一个批判性思考的人特别有用，因为它让你关注整个论证的方方面面，而不仅仅是它那些较为吸引人的特征。

　　我们再来看一看，请思考一下你为什么要努力掌握本书所介绍的这些技能和态度。有各种各样的理由都可以说明你完全可以不用学习批判性思维，独立认真的思考需要我们付出更多的精力，比起掷一枚硬币来决定，或是问问身边踌躇满志的专家该怎么办，这种做法要费力得多。但是本书还是鼓励你去学习批判性思考。我们是在告诉你：批判性思考对你而言非常有好处。

我们的建议都是基于一些潜在的想法，如果你不认同这些想法，你完全可以不理会这些建议。批判性思考的人都相信自己做主、好奇心、通情达理等价值观是人类最重要的一些目标。批判性思维的最终结果是要求一个人虚怀若谷地接纳各种观点，理性评判这些观点，然后在理性判断的基础上决定接受哪些思想或采取哪些行动。我们相信你喜欢这种人生经历，因此，你也会想做一名会批判性思考的人。

当你努力理解一个人的时候，你的任务在很多方面都好像没有亲眼观看魔术师魔术表演的每个步骤就自己动手去做那个魔术。你眼看着手帕放进了帽子里，出来的却是一只兔子，而你压根儿就不知道魔术师暗地里玩的到底是什么把戏。要理解这个魔术，你就得搞清楚魔术师暗地里的那些把戏。同样，在论证当中，你也得找到那些暗藏的把戏，实际上，这些把戏就是没有明说出来的想法。我们把这些没有明说出来的想法称为**假设**（assumptions）。要全面理解一个论证，你必须要找出这些假设。

假设有下列这些特征：

（1）隐藏或没有明说出来（大多情况下如此）；

（2）作者认为是理所当然的；

（3）对判断其结论有较大影响；

（4）可能有一定的欺骗性。

本章将教你如何找出这些假设。但是找出假设的价值远远不止它给你自己的推理带来的正面影响。批判性思维自然免不了要涉及那些和你一样关心同一论题的人。当你找到这些假设并在和别人的交流中说出这些假设，那么在我们这个社会你就为提高推理的质量做出了很大的贡献。

例如，美联社最近刊发了圣路易斯联邦储备银行（St. Louis Federal Reserve Bank）研究的一份详细报告。这项研究的结论是相貌好的人比相貌平平的人挣的钱多，升职也更快。作为批判性思考的人，你就会质疑隐藏在这份报告背后的假设，如果有的论证使用这项研究数据来证实其结论，我们这样做就可以防止自己很快接受这样的论证。民主社会亟须这种小心谨慎的思考。

> **?** 关键问题：什么是假设？

到哪儿去找假设

当你寻找假设的时候，你应该在什么地方找？怎么找？每本书、每场讨论、每篇文章里都有无数的假设，但你应该关心的只有很小的一部分。你应该还记得，一个论证的表面结构由理由和结论两部分组成。但是，你所关心的只是影响到论证结构质量的那些假设。因此，你就可以限制自己寻找假设的范围，只在你已经学会怎样去寻找的论证结构中去寻找这些假设。

有两个可以寻找假设的地方你应该特别留意，那就是寻找理由需要它们才能证明结论的那些假设和寻找理由需要它们才能成立的那些假设。我们先介绍前者——价值观假设，然后再介绍后者——描述性假设。两者在形成论证的过程中都极为重要。

 小贴士：先检查理由，然后检查结论，寻找价值观假设和描述性假设。

注意理由和结论部分也是我们寻找重要歧义的地方。在这里，我们再一次表现出对文章或演说中理由和结论的充分尊重和重视。

 小贴士：所谓假设，就是一个看法，通常没有明说出来，而作者认为是理所当然，并用来证明其表面的推理论证。

找出幕后遥控的价值观假设

为什么有些很讲道理的人会大呼小叫地说堕胎就是谋害生命，而另一些同样讲道理的人却把堕胎看成人性化的行为？你有没有想过为什么每一任美国总统，不管其政治信仰如何，最终都会和媒体大打口水仗，喋喋不休地争论该不该发表那些他不愿公之于众的政府信息？为什么有些高智商的人不遗余力地攻击那些露骨的色情杂志的出版发行，而其他人却为之辩护，把它们的出版看作对《人权法案》的终极试金石？

这些不同结论的一个极为重要的原因就是价值观冲突的存在，或者说由不同参照系衍生出来的不同价值观。对于道德论证或者规定性论证，一个人的价值观会影响他列举出的种种理由，因而也影响到他的结论。实际上，**只有把这些价值观假设添加到推理中，他们的理由才能从逻辑上证实其结论。**下面这个例子展示了在一个规定性论证中价值观假设所起的作用。

> 我们不应该让娱乐性药物[⊖]（recreational drugs）合
> 法化。这些药物引发了太多的街头暴力和其他犯罪行为。

注意，这里的理由只有在假设大家都认为公共安全比个人责任更重要的情况下才能从逻辑上证实其结论。价值观假设对于这样的论证非常重要，因为它在幕后遥控指导着推理论证的过程。和你交流的人可能会意识到这些假设，也可能根本意识不到。你应该养成习惯，找出理由赖以成立的那些价值观假设。

我们这里所谓的**价值观假设**（value assumption），是指一种想当然的看法，认为某些相互对立的价值观中一个比另一个更重要。当作者对于社会辩论采取了一种立场，他们通常都会选择一种价值观而排斥另一种价值观，他们有价值优先或者价值倾向。要找出这些优先的价值，你需要对价值观的意思有较好的把握。因此，现在是回顾一下第 1 章里介绍过的价值观的好时机了。

两种价值观冲突时宁可要哪个

要找出价值观假设，我们不能仅限于简单罗列一个个价值观。你的很多价值观别人也一样认同。例如，不是几乎每个人都说灵活性、合作意识和诚实这些价值较为可取吗？

再看看价值观假设的定义，你立刻就会发现，从定义来看，大多数价值观都在每个人罗列的名单上。因为很多价值观都是大家共同拥有的，价值观本身并不能成为理解的有力向导，能导致

⊖　这里所说的娱乐性药物，是指服食以后可能会上瘾的一些药物。——译
　　者注

你对一个规定性问题做出与别人不同的回答的，是你对所持的特定价值观的相对认同的程度。

当价值观发生冲突或抵触的时候，想一想我们对这些辩论的回应，由此我们就可以理解为什么我们会对特定价值观赋予不同的认同程度。如果说发现大多数人同时看重竞争和合作并不能让我们茅塞顿开，当我们发现竞争和合作两者发生冲突的时候哪些人宁要竞争不要合作，我们就对规定性的选择获得了一个更加全面的理解。

一个人对于特定价值观的选择常常是不会明说的，但是那个价值观选择无论如何都会对他的结论产生重大影响，同时也影响到他选择捍卫这一结论的形式。这些关于价值取向的没有明说的主张所起的作用就是价值观假设。有些人称这些假设为价值判断。认识到人们对产生冲突的价值观或系列价值观做出的相对支持，能让你既进一步理解所阅读的材料，也能为最终客观评价这些规定性的论证打下坚实的基础。

小贴士：所谓价值观假设，就是在特定情形下没有明说出来的喜欢一种价值观超过另一种价值观的偏向。我们把价值倾向和价值取向当近义词使用。

当你在一场特定的辩论中发现了一个人的价值倾向，你不应该期望同一个人在讨论不同的辩论时还会持有相同的价值取向。离开了相关的讨论论题，一个人就不再持有同样的价值倾向。与辩论有关的语境和事实问题也会深深影响到我们持有某个价值倾向的程度。我们持有特定的价值倾向只到一定程度为止。这样，比如说，有人在多数情况下都认为自由选择比集体幸福重要（例如，穿着印有国旗图案的服装），但是当他看到可能会对集体幸福造成太大损害的行为时（例如，一个人发表种族歧视演说的权利），他就有可能改变自己的价值倾向。换言之，价值观假设随情境的改变而改变，它们在一种情况下适用，而一旦规定性论题的具体条件发生改变，我们就可能采用非常不同的价值倾向。

典型的价值观冲突

　　如果你意识到有代表性的价值观冲突，你就能更快地认识一个作家在得出特定结论时做出的价值观假设。我们已经列举了一些伦理道德论题上常见的价值观冲突，而且提供了这些价值观冲突有可能出现的论辩例证。当你想认出重要的价值观假设时就能以这些列举的价值观冲突为出发点。

　　在你找出价值观冲突的时候，你常常发现对于特定的辩论，好像有几个价值观冲突存在，并且貌似对形成结论都很重要。所以在你评价一个辩论的时候，请尽量找出几个价值观冲突，以此来检验一下自己的评论。

典型的价值观冲突和辩论的具体例证

1. 忠实—诚实	该不该告诉父母姐姐有药瘾
2. 竞争—合作	你是否支持评分制
3. 媒体自由—国家安全	每周开总统新闻发布会是否明智
4. 平等—个人主义	就业时的种族配额公不公平
5. 秩序—言论自由	我们应不应该监禁那些有种族主义思想的人
6. 理性—冲动	打赌下注的时候该不该先查一查赔率

对方的背景可以作为价值观假设的一个线索

前面我们已经说过，找到价值观假设一个比较好的起点就是检查一下作者的背景。尽量找出像作者或演说者这样的人通常持有的价值倾向，越多越好。他是公司高管、工会领导、共和党官员、医生还是公寓的一个租客？这样的人最希望保护的必定是什么利益？追求自身利益本身自然没什么错误，但是这样的追求常常限制了一个特定的作者所能包容的价值观假设。例如，一家烟草业的大公司总裁就不太可能特别重视对敏感人群的同情，如果这种对敏感人群同情的选择取代了对公司业绩稳定增长的选择，就有可能导致他丢掉自己的饭碗。因此，你如果是一个批判性思考的人，想象这样的人可能做出的价值观假设，就能很快发现他的价值倾向。

这里要注意一点：并不是因为一个人身为某个团体的一员，就一定会认同这个团体的特定价值取向。以为同属一个特定团体的任何一员想法都完全相同，这就犯了大错。我们都知道商人、农民、消防员在讨论具体辩论时相互之间常常意见不一。调查作者或演说者的背景作为判断其价值取向的线索，得到的只不过是个线索而已，如同其他线索一样，也有可能产生误导，除非小心谨慎对其加以使用。

可能发生的结果是价值观假设的重要线索

在规定性论证当中，对于某个论题的任何一个立场都会得出不同的结果或后果。每个潜在的结果都有一定的可能发生，每个结果都会在一定程度上让人觉得可以接受或难以接受。

　　辩论中所持的立场带来的结果到底可不可以接受主要取决于个人的价值倾向。在这种情况下，结论到底可不可以接受主要取决于潜在的各种结果发生的可能性大小和对这些结果的重视程度。因此，要判断一个人的价值观假设，一个重要手段就是要注意他用来证实结论的各种理由，然后判断哪些价值取向会导致作者认为这些理由比其他理由更可取，而那些其他的理由本可以从论题的另一个方面来进行论证。我们来看一个具体的例子。

　　　　根本就不该建核电厂，因为核电厂里那些危险的核
　　废料会污染环境。

　　这里提出的理由是建造核电厂所带来的较为具体的潜在结果。作者明显将环境污染当成不可接受的部分。为什么这个结果在作者的思想中占有这么大的分量？防止污染有助于取得哪些更为普遍的价值观？虽然我们不过是猜测，但作者很可能特别重视公众健康或环境保护。换成另一个人，他在这个论证里可能会重视完全不同的后果，例如核电厂对消费者的供电量带来的影响。为什么？很可能因为他非常看重效率！因此，只有一个人选择的价值取向是认为公共健康或者环境保护比效率更重要时，他给出的理由才能支持结论。

　　这样，判定价值取向的一个重要方法就是问一下这个问题："为什么作者用做理由的特定后果或结果对他而言显得那样可取？"

　　记住：**在寻找价值观假设的时候，你应该尽量一直说明价值倾向**。遇到有争议的主题，以这种方式说明价值观假设可以不断

提醒自己作者放弃了什么，又得到了什么。尽量抵制住诱惑，不要一找到作者或演说者的价值观就过早地停止分析的过程。找出这些价值观只是找出价值倾向假设过程中的一个步骤，但是价值观本身在理解论证时所提供的帮助却微乎其微。价值观本质上是所有人共有的东西。

如果争论的人采取相反的立场，他们会关心什么

另一个找出价值冲突的有用技巧就是反串。问一下这个问题："如果所述的辩论中的这些人采取相反的立场，他们会关心些什么？"如果有人说我们根本不应该用猴子来做实验，你就应该问自己："如果我要为使用猴子做实验进行辩护，那么我应该关心些什么？"

最后，你应该经常看看，不同的意见是不是来源于价值观冲突，这个冲突牵涉到个人有权以特定的方式行事，以及这种行事方式对集体幸福造成的影响。很多论证隐含的立场就和这个如影随形的价值观冲突有关。像其他常见的价值观冲突那样，当我们的思维需要去衡量这两个重要的价值观及其产生的影响时，我们都能找出数不清的例子来证明。

例如，当我们质疑在公立学校里使用金属探测器的时候，我们常常从以下方面开始建构自己的论证，首先想到的是学生的隐私权，然后想到如果有学生携带武器来学校的话势必会威胁到其他学生的人身安全。接着我们就试着在这些价值观和其他价值观之间权衡利弊，比如在这个具体例子中，单个学生的隐私权是否应该比其他学生在校期间的幸福更值得保护？在这一价值冲突中

还涉及哪些论题？对光头党在民族聚居区巡逻的要求我们又该怎么评论呢？

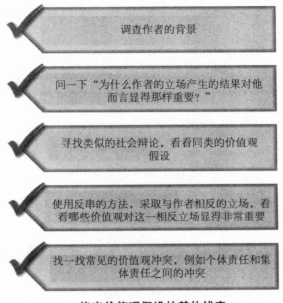

找出价值观假设的其他线索

一个例子：关于竞争与合作的辩论

让我们一起来看一个例子，这样有助于你更加得心应手地找出价值观假设。

> 不同的工作场所有不同的工作环境。有些地方实行差别工资制，这里主要评价你的工作表现，并将它和其他员工相比较，以此来决定给不给你涨工资。还有些地方喜欢创造一种和谐的工作氛围，大家作为一个团体一

起工作。这里涨工资主要看的是教育程度或工作经验。这种类型的工作场所让员工之间形成了良好的关系，大家作为团队一起工作。哪一种类型的工作环境真的会产生最大的生产率呢？是这种每个人都和其他人对阵、生产率是涨工资的唯一依据的工作环境，还是培养团队一起工作来提升生产率的工作环境？

两种立场的结构轮廓如下。

结论一：工作场所应该实行差别工资制。

理由：涨工资的唯一依据就是工作效率，因此这种类型的工作场所为大家努力工作创造了最大的动力。

结论二：工作场所应该提供一种团队协作的环境。

理由：如果员工之间相互尊重，他们创造出的工作环境就会非常健康，因此可以有效提高生产效率。

注意，涨工资建立在个体生产率基础上的那种工作环境特别看重竞争。营造这种类型工作环境的人相信竞争会提高生产率，因为它激发了个人的斗志。因此，他们声称团队协作的环境会阻碍竞争环境下的生产力的发展。

价值观假设：在这种语境下，竞争比合作更受重视。

另一方面，那些认为团队协作会创造出最大生产率的人特别重视合作。他们相信一起工作有助于团体变得更加斗志昂扬，因此也就更富有成效，因为他们工作并不是为了自己一个人，而是为了公司整体（或团队整体）。他们认为团体协作比提供绩效工资的地方会创造更好的工作环境。

　　价值观假设：在这种情况下，合作比竞争更受重视。

　　因此，这里最主要的价值观冲突就是合作和竞争之间的冲突。支持绩效工资工作环境的人相信同事之间在工资报酬方面是竞争而不是合作关系，只有这样才能制造出最富有效率的环境。他在这个问题上的立场并不意味着他就不看重合作，这两个价值观也许对他而言都很重要，但是就工作场所而言，竞争占了上风。

　　请记住：**涉及规定性论题的完整推理离不开理由和价值观假设。**

使用这个关键问题

　　一旦你发现了一个价值观假设，你该拿它怎么办？首先，回想一下每个关键问题的目的——是为了使你最终能客观地评价推理过程！因为你知道有思想的人都会有不同的价值观假设，你就有权质疑为什么他会做出这个价值观假设。因此，作为一个批判性思维的人，你就要指出一点，任何一个想要进行论证的人都有必要提供一些解释，说明为什么你应该接受那个论证中暗含的特定的价值观假设。

价值观及其相对性

　　在本章中我们并不想给读者留下这样的印象，让他们以为价值取向就像冰激凌一样，既然我选择了最爱吃的蓝莓奶油口味，你没有理由劝我说选择柠檬松糕口味更明智。冰激凌不过是萝卜白菜各有所爱，那不就行了？

但是，选择价值取向需要一个推理的过程。这种推理和其他推理一样可能有凭有据、考虑周详，并且细心体贴。但是它也有可能是草率马虎、固执己见。因此，价值取向需要有一定的正当理由，这样批判性思考的人才能加以考虑。一个价值取向需要有证实它的理由，正如任何一个结论都需要理由一样。这样我们每个人才能研究其推理过程，然后形成我们的评价。

找出没说出来的描述性假设

当你找到价值观假设的时候，你完全明白作者或演说者希望这个世界变成什么样——什么样的目标他认为最重要，但是你并不知道他对世界的本质以及世人的本质是怎样地想当然。例如，人们一般都是懒惰的还是喜欢追逐成就，是喜欢合作还是喜欢竞争，是由生理结构控制还是由成长环境控制，是自私自利还是无私奉献，是一直理性还是反复无常？他的表面推理取决于他的价值观，同时也取决于上述这些想法。这些没有说出来的想法都是描述性假设，它们也是一个论证必要的潜在因素。

下面关于一辆汽车的论证取决于隐含的描述性假设，你能不能把它们找出来？

这辆车一定会将你送往目的地，不论目的地在哪里。

我在各种情况下都驾驶过这种型号的汽车。

？ 关键问题：什么是描述性假设？

描述性假设（descriptive assumption）就是对这个世界过去、

现在或未来是什么样的想法，而你应该记得，规定性的或者说价值观假设是关于这个世界应该是什么样的那些想法。

描述性假设展示

让我们查看一下关于汽车的上述论证，以便清楚地展示一下我们所说的描述性假设到底是什么意思。

上述推理的结构如下：

结论：有了这辆汽车你想去哪里就去哪里。

理由：这种型号的车在各种情况下都功能良好。

推理到这里还没有完成。我们知道一个理由自身并不具备与结论之间的直接联系，理由必须通过特定的其他想法（常常是没有明说的想法）才能与结论相联系。这些想法如果真实可行，就证明可以将理由作为结论的一个支撑。因此，一个理由是否能证实结论，或者说是否与结论有关，主要取决于我们能否找到没有明说出来的想法，将理由和结论从逻辑上联系起来。如果这些没有明说的理由是描述性的，我们就称之为描述性假设。让我们为上述论证提供两个这样的假设。

假设一：年复一年，某个型号的汽车质量始终如一。

首先，论证本身并没有提供这样的论述。但是，如果理由是真的，假设也是真的，那么理由就为证实结论提供了一些支持。但是如果不是这种型号的车所有年份都同样可靠（我们知道这不可能），那么之前年份里驾驶某个型号汽车的经历就不能成为可靠的指导，证明一个人是否应该购买当前年份的同一型号的汽车。注意这个假设是一个关于事情是什么样的陈述，不是事情应该是什么样的陈述，因此它是一个描述性的连接假设。

  假设二：将要用新车进行的试驾是由推荐这辆车的人亲自操作，与他之前的试驾完全一样。

  我们说到驾驶汽车，如果我们不明确"驾驶"这个词的含义，驾驶行为的模糊性就可能给我们惹来许多麻烦。如果推荐汽车的人所说的驾驶行为指的是常规地去趟杂货店，在安静的郊区道路上行驶，没有山峦，这种驾驶经验作为比较参照来和驾驶一辆新车在科罗拉多州行驶，后面还跟了一辆重吨位的挂车而言就没有多大关系。因此，只有假设作者对驾驶行为做出恰当定义，这个结论才能被其理由所证实。我们可以将这种描述性的假设称为定义性的假设（definitional assumption），因为我们想当然地认定一个术语的意思，而这个术语可能有不止一层含义。因此，我们要寻找的一个非常重要的描述性假设类型就是定义性的假设，即想当然地认定一个可能有多重意思的术语中的一个意思。

  一旦你找出连接假设，你就回答了这个问题："那个结论根据什么可以从那个理由推导出来？"下一步自然是要问："根据什么可以接受这个假设？"如果没有，那么对你而言这个理由就不能证实其结论。如果有，那么这一理由就为其结论提供了逻辑上的支撑。因此，当你找出连接假设并且你有可靠的理由来相信这些假设时，你就可以说这一推理完全正确。

  小贴士：描述性假设就是没有说出来的关于世界过去、现在和将来是怎么样的一种看法。

找到描述性假设的一些线索

　　找到假设的任务其实就是通过填补缺少的那些联系来重建推理的过程。你想提出一些想法来帮助交流者，让他的推理变得"有道理"。一旦你的头脑里有了一幅整体论证的全面图景，无论是外在的还是内含的因素都得以体现出来，你判定这个论证的强弱就显得更加游刃有余了。

　　我们怎么才能找到这些重要但缺失的联系呢？我们需要付出艰苦的努力、想象力和创造力。找到重要的假设是个艰巨的任务。本章前面的部分我们为你提供了几条线索来寻找价值观假设，以下是一些可以让你成功找到描述性假设的线索。

　　不断思考结论和理由之间存在的鸿沟。你为什么一开始就要寻找这些假设呢？因为你想让自己能判断理由在多大程度上证实结论。因此，一定要找到作者或演说者心中可能想当然认为可以用来连接其理由和结论的所有假设。你要不断追问："你怎么从这个理由得出这个结论？"问一问："如果理由成立，要得出这个结论还需要哪些东西成立才行？"为了帮助你回答这个问题，你会发现问一问"假设这些理由都成立，有没有可能这个结论仍然是错误的呢"将会很有帮助。

　　找一下存在的鸿沟对发现价值观假设和描述性假设都不无裨益。

　　寻找没有明说出来的支撑其理由的那些想法。有时候给出的理由并没有明确的证据，而其有没有道理主要取决于作者想当然的那些想法有没有可能会被接受。这些想法就是描述性假设。下面一个简短论述的提纲就展示了这样一个例子。

结论：中学英语班的所有学生至少应该去看一部莎士比亚的戏剧。

理由：直接经历和感受莎士比亚的著作大有裨益。

必须要假设什么样的想法，才能让这个理由被人接受？我们必须要假设：

（1）表演必须非常逼真，反映了莎士比亚所倡导的一切；

（2）学生将会理解这个戏剧，而且能将它与莎士比亚联系起来。

（1）和（2）两个想法必须都是不言而喻的才能让理由被人接受，因此支持得出的结论。

将自己置于作者或演说者的立场。假设要你去为这个结论辩护，这样你找出作者的假设通常就会容易得多。如果有可能，尽量将自己置于得出此结论的这个人的位置，发现他的背景。当一个煤炭公司的高管说露天采矿对自然环境的美观并不会构成实质性的损害时，他很有可能持有这样的观点，即露天采矿对国家而言有益无害。因此，他可能假设出"美观"的一个定义，以和他的论证保持一致，而"美观"的其他定义则会导致对露天采矿行为的强烈谴责。

将自己置于反对的立场。如果你站在作者或演说者的立场无法找到假设，不妨换换角色。问问自己，为什么别人会不认同这个结论。什么类型的推理会使别人不认可你正在评价的这一结论？如果你扮演一个不接受这一结论的人的角色，你就能更容易识别论证外在结构中隐含的那些假设。

认识到有可能存在其他方法来获知理由中提到的好处。一个结论常常有几个理由支撑，显示出如果依作者的结论而行会带来的各种各样的好处。如果有多种途径都可以获得同样的好处，那么连接理由和结论的一个重要假设就是，获得好处的最佳途径是作者或演说者所提倡的那种途径。

让我们用一个简单的例子来试验一下这种技巧。专家们对于一个人怎样才能取得收支平衡意见不一。他们常常鼓励年轻人通过信用卡来取得收支平衡，是不是有很多别的方法也可以取得收支平衡呢？比起信用卡的方法所带来的严重不良后果，比如说信用卡透支太多，这些方法中有没有一些别的方法可能效果要好很多呢？例如，存一些钱到储蓄账户里，或者持有活期账户来建立信用，这些都是切实可行的建立收支平衡的好方法。因此，那些建议人们通过建立信用卡来帮助取得收支平衡的人没有考虑到他们的解决方法存在的风险，或没有想到另一种较为可行而且风险较小的途径。

避免表述不完全成立的理由来当作假设。当你一开始想要找描述性假设时，你也许发现自己找到的是一个说明理由，你认为这个理由还没有完全成立，以为"这不过是个假设而已，你对它还不够了解，所以说不出个道理来"。或者你只是简单重述一下这个理由来当做一个假设。也许你正确地认识到，作为作者或演说者，他们确实需要更好地证明这个理由的正当性。虽然认识到这种澄清的需要对你而言是一个重要的洞见，但你并没有找到合适的假设，如我们在本章中反复表明的那样。你不过是将理由贴上了一个"假设"的标签。

你是否明白在你这样做的时候，你的所有行为不过是表明作者的理由就是他的假设，而你可能真正想要强调的是作者的理由还不足以由现有证据来确立。

避免浪费时间分析无意义的假设

我们也想当然地对一些交流者做出某些假设，因此不需要对这些假设做进一步的客观评价。你也想将精力专注于评价那些重要的假设，因此我们要提醒你注意一些潜在的无意义的假设。这里所谓的"无意义"，意思是一个不言自明的描述性假设。

作为一个读者或者听众，我们自然会假定交流者相信其理由都成立。你可能想抨击其理由不充足，但刻意指出作者或演说者假设他们的理由都成立，这一点就显得毫无意义。

另一种类型的无意义假设涉及推理的结构。你也许想说作者相信理由和结论之间有逻辑联系。的确如此，但毫无意义，重要的是它们之间是怎么产生逻辑联系的。同样，指出一个论证假设我们能理解其逻辑、术语或我们拥有适当的背景知识，这些都是无意义的。

避免花费时间来分析这些无意义的假设。只有找到隐藏的较有争议而又缺失的联系，你的寻找才是最值得的。

轮到你自己写时，可得吸取教训

本章到这里为止，你也许会急于下结论，你作为作者的目标就是避免在写作中把你的价值取向和描述性想法混为一谈。因为我们已经说过没有明说的假设对于客观公正的评价带来的危险，你也许想知道我们是否期待你将想法抛在一边而只忠于事实。

在我们沿着这条思路一直走下去之前，让我们想一想这个陈述："忠于事实。"什么样的事实？你又怎么判断哪些事实对你而言最有力度？你又怎么判断哪些事实需要排除在外？你又怎么去解读事实并从中获得结论？你认为这些事实当中蕴含的道理是什么？忠于事实总是说来容易做来难。

考虑一下这个事实：最高水平的校际体育运动中超过半数以上的体育部门都受到国家拨款、学费和大学经费的各种资助。这个信息有没有把你搞糊涂？好像完全可以接受？我们应该探寻纠正的方法，还是考虑到学生和市民拥有一支成功的足球队所得到的种种好处，然后就认为这种费用合情合理？你对于这个事实的反应受到你的价值倾向和描述性想法的影响，你想到的是大学的目的和团体运动在我们文化中的重要性。

这个例子显示了重要的一点：如果没有价值观和描述性想法影响你的论证，你根本就不可能写作。忘记你的假设并不是有效写作和演说的目标。我们都是人，而不是电脑程序。因为我们的人生和经历的缘故，我们养成这些根深蒂固的想法。这些想法会以重要的形式影响到我们看世界的方式。

既然价值观和描述性想法是我们写作和思考的一个不可或缺的重要部分，那又有什么了不起呢？我们又为什么要在一本主要关注批判性思维的书中花整整一章的篇幅来讨论这个主题呢？作者应该特别注意这些想法在他们的写作中造成的影响，主要有两个原因：第一，这些想法通常都没有明说出来或者是假设成立的。这样读者常常会完全错失它们，他们甚至毫不清楚自己应该要时时警惕这些想法。作者通常并不提供辩护或解释来说明为什么他持有这个观点。作者很可能也不是有意要鬼鬼祟祟，悄悄把没有明说的假设塞进论证里，很可能是没有意识到他是在假定集体责任大于个人责任，或者公立教育的质量比低税率更为重要。他很可能只是假定这些想法实际上都是不言自明的道理，人人都对它们确定不疑。写作的时候，尽最大努力揭示那些引导你的思绪的假设。给那些试着接受你的交流者一个公平的机会，来全面理解你的推理论证。和他们分享一下为什么你确信不疑这些假设就是正确的。

发现描述性假设的一些线索

（1）不断思考理由和结论之间的鸿沟。

（2）寻找支持理由的那些想法。

（3）把自己放到对立的反对立场。

（4）意识到还有其他潜在的方法可以获得理由中提到的种种好处。

（5）对论题进一步学习了解。

 来，做做思维体操

? 关键问题：什么是价值观假设和描述性假设？

请在以下三篇文章中找出作者所做的重要假设。记住，首先要确定结论和理由。

⊙第一篇

有时候，诚实无欺未必是最好的选择。有些个人想法最好还是不说出来为妙。例如，如果你和一个朋友交谈，他问你对某件事的意见，如果没办法在说出你的观点的同时又不伤害朋友之间的感情，那么最好还是不要说出真相的好。

真相并不总是非说不可。如果你是医生而不得不跟病人说关于他的健康的坏消息，这时候坦诚相告自然显得非常重要。但是，有时候在朋友之间，诚实也许需要一点缓冲地带。

⊙ 第二篇

美国大学生联谊会因为以大欺小和胡乱聚会而变得声名狼藉，但是加入这类组织还是有很多好处的，会让你认真考虑宣誓入会的必要性。比如，其中一个好处就是让你有机会和真正的好兄弟好姐妹建立联系，结交到一生的至交好友。还有个相关的好处就是建立社交网络。毕业后找工作，大多数人都发现前途并不是由自己知道些什么来决定，而是由自己认识些什么人来决定的。加入女生联谊会或者兄弟会，你就有机会融入专业人士的庞大网络。还有个好处就是锻炼自己胜任领导角色的能力，这样你今后在工作中就有能力与别人竞争，因为兄弟会和女生联谊会经常组织各种活动，例如晚餐会或其他聚会。最后，加入联谊会让你有很多机会一边寻欢作乐，一边进行社交，成为无数人的好朋友。你的大学年华应该丰富多彩，而不仅仅是上课和学习，它应该是你一生光阴中的金色时光。

⊙ 第三篇

收养的子女应该有权找到他们的生身父母。他们应该找到自己的生身父母既有个人原因，也有健康方面的原因。多数孩子都想知道这些人身上到底发生了什么事，想知道为什么自己被家人抛弃而被别人收养。就算这种见面可能和孩子所料想的有很大不同，这种互动也可能为收养儿童提供一种真正意义上的了断。

———————————————————————— 给个提示 ————

在展示下列论证中的假设时，我们只列举其中一些假设——那些我们认为最重要的假设。

⊙第一篇

结论：在特定情况下撒谎以不伤害别人的感情是正当行为。

理由：说出真相也许会伤害到友谊。

这个理由强调了伤害朋友关系的负面结果。因此，这里和论证相关的一个价值冲突就是诚实与和谐的人际关系。当然，有人可能会说诚实是他们追求的和谐人际关系的最佳基础，但是重视和谐人际关系胜过诚实的这种价值取向在论证中将理由和结论联系起来。

和很多规定性的争议差不多，这种情形也涉及不止一种的价值观冲突。例如，这个争议也要求我们思考一下安慰和勇气之间的冲突。

⊙第二篇

结论：大学生应该考虑加入联谊会。

理由：（1）学生可以建立自己和他人间的坚强联系纽带。

（2）与他人交往有助于建立人际关系网，对今后求职有帮助。

（3）联谊会活动锻炼了人的领导才能。

（4）联谊会促进了社交活动，同时还能让人寻欢作乐。

是什么将这些理由和结论联系起来？有没有可能它们都正确，但是并不能证实这个结论？价值取向是必需的联系。一个假设的价值取向是归属感和找乐子比自律和学业成绩优异更重要，因此将理由和结论联系起来。另一个有争议的描述性假设也将理由与结论联系在一起：联谊会的好处并不能通过其他途径获得，例如学校社团和组织。有没有什么想法是想当然的，但对我们接受任何一个理由的真相都非常有必要？第一个理由只有未来的老板把大学生联谊会当成个人履历的一部分时才可以成立。例如，也有可能很多老板把这种经历看成缺少独立性、严肃性和积极性的一个标志。

Chapter

第 6 章

推理过程中有没有谬误

　　到目前为止，你一直致力于将作者或演说者提供给你的原材料组织成一个有意义的整体结构。你已经学会了从淘金盘里剔除不相干部分的方法，同时也学会怎样去发现那些可以将相关部分黏在一起的"隐形黏合剂"，也就是各种各样的假设。所有这一切的取得都依赖于提出关键问题。让我们简单回顾一下这些问题：

　　（1）什么是论题和结论？

　　（2）什么是理由？

　　（3）哪些词或词组意思不明确？

　　（4）什么是价值观假设和描述性假设？

　　问问这些问题，一方面能让你清楚理解交流者的推理过程，另一方面也让你大致了解论证的扎实部分和薄弱环节。接下来的大部分章节都集中讨论组织之后的论证结构到底能不能站得住脚。

现在你的主要问题是：按照提供的理由来看，这个结论到底在多大程度上可以被接受？现在你做好准备要全心全意集中火力进行评估。记住：**批判性阅读和聆听的主要目标就在于判定结论的可接受程度或者价值大小。**

回答开始提出的那四个问题是评价过程的一个必不可少的开端，接下来要探讨的问题需要我们做出更加直接和清晰的判断，评价推理的价值大小或质量高低。现在我们的任务是将破铜烂铁与真金白银区分开来。我们要分辨出最佳的理由——那些我们要严肃认真加以对待的理由。

在评价过程的这一阶段，你的第一步就是要检查一下推理结构，判断交流者的推理是不是以错误的或者高度存疑的假设为基础，或是通过逻辑上的错误抑或其他形式的带有欺骗性的推理来糊弄你。第 5 章的重点是找出假设，然后思考其质量高低。本章则着重探讨那些被称为**谬误**（fallacies）的推理过程中的"诡计花招"。

有三种常见的诡计花招，它们是：

（1）提供的推理需要明显错误的或者让人不能接受的假设才能成立，因此使推理和结论显得毫无关系；

（2）把那些明明和结论无关的信息弄得好像和结论有关，以此来分散我们的注意力；

（3）看似为结论找证据，而证据算数的前提则取决于结论本身已经成立。

能够找出这些小花招就能防止自己不知不觉中上了别人的当。下面让我们来看看推理中的谬误到底是个什么样子。

亲爱的编辑：贵报支持参议员斯彭道（Spendall）的论辩，让我感到无比震惊，他提议通过增税来提高国家财政收入以便改善公路状况。参议员先生自然喜欢增税这一套了，一个自由派民主党人，动不动就提议增加税收和支出，你还想从他那儿得到什么别的主意呢？

注意，这封信乍一看好像要举出一个"理由"来反驳这个增税提议，主要通过援引参议员的自由派民主党人的名声，但是这个理由和其结论根本无关。问题的关键在于增税是不是个好主意。写信的人完全忽略掉参议员的增税理由，并且没有提出任何具体理由来反对增税；相反，他对参议员施加人身攻击，给他扣上一顶"动不动就提议增加税收和支出的自由派民主党人"的大帽子。作者在这里犯了一个推理中的谬误，因为他的论证需要一个和结论有关的荒诞不经的假设，以便将人们的注意力从论证本身转移到他的论辩对手——参议员斯彭道身上。一个容易轻信别人并且对此类谬误毫无防备的读者就有可能中了他的招，认为作者提供了一个有说服力的理由。

本章为你提供了许多练习，让你找出这类谬误，这样你就不会轻易中了别人的套儿。

> ❓ 关键问题：推理中有没有谬误？

 小贴士：所谓谬误，就是推理中的欺骗手段，作者有可能利用这个欺骗手段来说服你采纳其结论。

不用死记硬背各种谬误的名称也能找到推理中的谬误

推理中的谬误不计其数，它们排列组合的方式也数不胜数。其中很多谬误因极为常见而有了正式名称。你可以在无数的书本或者网站上找到很多有关这类谬误的长长的清单。幸运的是，你并不需要识记所有这些谬误及其名称才能辨别出它们。只要你问出恰当的问题，就能找到推理谬误，就算你叫不出它们的名字也无所谓。

因此，我们采用的策略就是着重强调自己提问自己的这套办法，而不是要你死记硬背一堆各种各样谬误的名称。但是我们相信，了解最为常见的一些谬误的名称可以让你对这些谬误变得更加敏感，同时当你和那些熟悉这些名称的人交流你对错误推理的反应时，表达上也可以少走一些弯路。因此，我们在帮助你识别欺骗性的推理过程时会向你介绍一些谬误的名称，同时也鼓励你学会本章结束部分所描述的那些最常见的谬误的名称。

我们已经在前面的"致编辑的一封信"里向你介绍了一种常见的谬误，我们指出这封信的作者对参议员斯彭道施加人身攻击，而不是直接对参议员的理由加以反驳。这种推理方式就是所谓的**人身攻击谬误**⊖（ad hominem fallacy）。拉丁文短语 ad hominem 意思是"针对个人"。人身攻击之所以属于推理谬误，是因为进行论证的个人品格或者兴趣如何通常和其作出的论证的质量毫无关系。它是在攻击送信的人（messenger），而不是在讨论送来的信息（message）。

⊖ 人身攻击谬误指针对个人的人身攻击或侮辱，而不是直接反驳其提供的理由。

下面再举一个人身攻击谬误的简单例子。

> **桑迪**：我认为参加女生联谊会纯粹是浪费时间和金钱。
>
> **朱莉**：你当然会那样说了，反正什么联谊会都不收你。
>
> **桑迪**：不说这个，你怎么看我拿来证明自己观点的论证呢？
>
> **朱莉**：那些根本不算数。反正你就是个输不起的人。

你可以用这个谬误做开端，来开列自己的谬误清单。

有可能假设是明显错误的

如果你已经能找到假设（见第 5 章），特别是描述性假设，那你就已经具备了判断可疑的假设和发现谬误的主要技能。假设越可疑，推理和结论的相关程度也就越小。有些"理由"，例如人身攻击型的论证，与其结论毫不相干，迫使你不得不提出明显错误的假设来建立一个逻辑上的联系。这样的推理就是谬误，你应该当机立断地予以抛弃。

下面这个部分，我们将带你做一些练习，通过这些练习来找出一些常见的谬误。一旦你知道怎样去寻找，你就能发现越来越多的谬误。我们建议你采用下面的思考步骤来寻找谬误。

为了展示你将要经历的通过评价假设来辨认谬误的整个过程，我们将带你检查下面这篇文章的推理质量。首先让我们来组织一下推理的结构。

找出结论和理由

记住结论并思考你认为可能与其有关的理由，将你的理由与作者的理由作比较

如果结论支撑某个行为，那就判断理由是否表明了某个特殊／具体的优点或不足，如果没有，就要当心

问一下自己："如果理由成立，一个人要相信什么才能从逻辑上支撑这个结论，他还得相信什么才能让理由成立？"从而找出任何可能存在的假设

问一下自己："这些假设有没有道理？"如果是明显错误的假设，那你就找出了推理中的一个谬误，这个推理也就可以放到一边不管了

看看有没有一些强烈诉诸你的情感的词组可能干扰或分散你的注意力，让你没有考虑到相关理由

　　这次立法所牵涉的问题其实并非喝酒是否有害健康的问题，而是国会愿不愿意让联邦通讯委员会随意决定禁止在广播电视上播放酒类广告。如果我们允许联邦通讯委员会采取这一关涉酒类的行动，如果它明年又说糖果有害于公众健康，因为它会导致肥胖、牙齿脱落和其他健康问题，那我们又有什么办法阻止它行动呢？那牛奶和鸡蛋又怎么办？牛奶和鸡蛋的饱和性动物脂肪含量都非常高，无疑会增加血液中的胆固醇含量，很多心脏病专家都认为它们是引发心脏病的重要原因，那我们要不要联邦通讯委员会来禁止在电视上播放牛奶、鸡蛋、黄油和冰激凌的广告？

　　还有，我们都知道联邦政府的一切行为，不论其多么激烈，

都不能也不会在消除酒类消费上完全有效。如果人们想喝含有酒精的饮料，他们一定可以找到办法满足自己。

结论：联邦通讯委员会不应该禁止在广播电视中播放酒类广告。

理由：（1）如果我们允许联邦通讯委员会禁止在广播电视上播放酒类广告，联邦通讯委员会很快就会禁止很多其他类型的广告，因为很多产品都会带来潜在的健康危险。

（2）联邦政府的行动没有一项会或者将会在彻底消除酒类消费方面起到有效作用。

首先，我们应该注意到两个理由都指向限制酒类广告带来的非常具体的不利因素，这是挺好的开端。但是，接受第一个理由的前提条件取决于一条隐藏的假设，就是一旦我们基于一个案例的法理依据来采取行动，那么在类似案例中采取行动我们就再也无法阻止。我们并不能接受这样的假设，因为我们相信法律体系中有很多步骤可以用来预防类似行动，如果这些行动没有正当的理由。这样，我们判定这个理由不能成立，这样的推理方式是**滑坡谬误**⊖（slippery slope fallacy）的一个例证。

第二个理由的相关度也值得商榷，因为就算这个理由成立，将理由和结论连起来的假设（禁止在广播和电视上播放酒类广告的主要目标就是完全消除酒类消费）也是错误的。禁止播放酒类广告的一个更可能的目标是减少酒类消费，因此这个理由我们也无法接受。我们把这类谬误叫做**追求完美解决方案谬误**⊖

⊖ 滑坡谬误指假设采取提议的行动会引发一系列不可控的不利事件，而事实上却有现成的程序来防止这类连锁事件发生。

⊖ 追求完美解决方案谬误指假设因为尝试某种解决方案后还有遗留问题未解决，那么这种解决方案根本就不应该采用。

（searching for perfect solutions fallacy）。它的形式如下：我们不应该去支持针对甲问题的解决方案，除非它能从根本上解决问题。如果我们真找到完美的解决方案，那么我们就应该无条件地接受。但问题的实质是，尝试某种解决方案之后部分问题仍然存在并不意味着解决方案就不妥当或欠考虑。能提出特定的解决方案比起一筹莫展、束手无策来可能要高明百倍了。它可能会让我们向彻底完全地解决问题迈进了一步。

如果坐等完美解决方案的出现，我们常常会发现自己固守原地、动弹不得。下面是这个谬误的又一例证：家里添一套安保系统纯粹是浪费钱。如果贼要光顾你家，他们总归想得到办法，无论你装什么系统都不管用。

推理理由谬误百出

下面我们要带你做一些练习，以便让你发现更多常见的谬误。在你遇到每个练习的时候，请试着去套一套这个谬误，找一找我们前面提到的种种暗示。一旦你养成良好的鉴别谬误习惯，你就能找到大多数谬误了。下面的每个练习所展示的推理都含有这样那样的谬误。我们先指出为什么我们认为这个推理是荒谬的，然后给出谬误的名称和定义。

练习一

是时候让大麻成为人们缓解慢性剧痛的一种手段了。当社会对一种毒品的药用价值达成共识时，我们就同意使用这种毒品。而现在很显然社会上已经达成了同意使用大麻的共识。最新的民意调查显示，有 73% 的人认为医用大麻应该得到允许。此外，加利福尼亚州艾滋病受害者治疗协会（The California Association for the Treatment of AIDS Victims）也支持让抽大麻成为艾滋病病人的一种治疗选择。

作为分析谬误的第一步，让我们先来整理一下这个论证的框架。

结论：抽大麻应该成为一种医疗手段。

理由：（1）一旦对某些药物的医疗价值达成共识，我们就应该审批通过，最近的调查显示，大麻作为药物用于治疗的共识已经形成。

　　　　（2）加利福尼亚州的一个协会支持医用大麻的使用。

首先，我们应该注意这两个理由没有一个指出医用大麻的某个特定的好处，因此从一开始我们就应该小心防范。然后，我们进一步细细查看第一个理由的措辞，发现在关键词的意义上出现偷梁换柱，这个偷换概念的做法欺骗了我们。"共识"这个词的意思偷换得非常巧妙，貌似持论者作了一个相关的论证，实际上并非如此。药物审批的共识通常意味着科研人员对于药物的优点达成共识，这和民意测验里得来的美国民众的一致意见相比是种非常不同的共识。因此这个理由根本说不通，我们应该抛弃它。

我们把这个推理中犯的错误叫做**偷换概念谬误**⊖（equivocation fallacy）。一旦你看到一个关键词或短语在论证中不止一次出现，检查一下看看其意思有没有发生改变，如果意思发生改变，就要

⊖　偷换概念谬误指在论证中关键词语有两种或两种以上的含义，一旦不同含义之间的转换被认出来，这个论证就讲不通了。

警惕偷换概念谬误。那些高度含混的术语和词组尤其是偷换概念的绝佳材料。

看看你能不能识别出下面这个争论中出现的偷换概念。

> **朗妲**：柯蒂斯真不是个男人。酒吧里那个醉汉威胁说要揍他一顿，他吓得屁滚尿流。

> **艾伦**：他要不是男人，你又怎么解释他身上那些鼓鼓涨涨的二头肌呢？

即使文章中巧妙地利用了"共识"这个词，在医用大麻的论证中，调查结论本身难道还不能证实其结论吗？确实能，但只有我们接受其假设才行，也就是如果某个看法广受欢迎，那这个看法就一定非常好，但这却是个错误的假设。公众常常并没有对一个问题做出足够的研究使他们能进行合乎逻辑的判断。一定要当心那些诉诸普遍观点或者流行看法的说理论证。我们把这种推理中的错误称为**诉诸公众谬误**⊖（appeal to popularity fallacy，Ad Populum）。

现在，让我们仔细检查一下作者的第二条理由。作者所做的假设是什么？为了证明医用大麻是可取的，他引用了可疑的权威——加利福尼亚州的一个协会。一个立场并不会因为权威的纷纷支持就光荣正确。判定这样的推理有没有关联，最重要的是权威们据以做出判断的那些证据。除非我们知道这些权威对这一论题拥有特别的专门知识，否则我们就要将这个理由视为谬误。这

⊖ 诉诸公众谬误指通过引述大部分人都持有这一观点的说法来竭力证明某个论断有道理，错误地假设大部分人喜欢的一切就是有道理的、可以接受的。

种类型的谬误叫做**诉诸可疑权威谬误**[⊖]（appeal to questionable authority fallacy）。

下面让我们检查一下和另一个辩论有关的一些论证：国会该不该批准联邦政府资助的儿童发展项目为儿童提供日托护理中心服务？

> 练习二
>
> 我反对政府的儿童发展项目。第一，我感兴趣的是保护祖国的儿童。社会规划师和自以为是的鼓吹家常常会扰乱儿童生活的正常发展过程，将他们从母亲和家人身边夺走，使他们变成通用计划的试验品，这些计划设计旨在 20 年里让这些孩子感到无比的幸福，我们就是要保护儿童不受这些计划的干扰。儿童就应该和母亲一起成长，而不是在一系列的临时看护或护士的帮助下长大。现在争论的问题是父母还该不该继续有权利塑造子女的性格，或者拥有所有权力的国家该不该被赋予各种工具和技术来塑造其年轻人。

现在让我们先整理一下这个论证的框架。

结论：政府的儿童发展项目是个错误。

理由：（1）儿童应该受到保护，不受社会规划师和自以为是的鼓吹家的干扰，这些人会干扰到儿童生活的正常秩序，并将他们从家人那里夺走。

（2）父母而不是国家才应该有权利塑造儿童的品格。

⊖　诉诸可疑权威谬误指引用某一权威的话来证明结论，但该权威对这一论题并没有特别的专门知识。

作为批判性思考问题的人，我们应寻找有关这一项目的具体事实。但是我们一个事实也找不到。这里的理由充满了未加定义的和充满感情的一般概括。我们已经将这篇文章当中几个此类词汇标记了出来。这些词语一般都会引发负面的情绪，这样持论的人希望其读者或听众将其与他所攻击的立场联系起来。

作者在这里玩了两个常用的小伎俩。首先，他精心挑选词汇来引发我们的情感共鸣，希望我们的情绪反应，会促使我们同意他的结论。当持论者激发人们的情绪反应，然后利用这个情绪反应让人们同意其结论时，他们就犯了**诉诸感情谬误**⊖（appeal to emotion）。当这类情绪反应本不应该和结论的真伪发生关联时，这个谬误就会发生。这类谬误特别常见的三个地方就是广告、政治论辩和法庭论辩。这种谬误的一种常见形式是恶语中伤（name-calling），属于一种人身攻击，主要通过引起人们不好的感情联想的言辞来给人戴帽子，试图诋毁别人。"自以为是的鼓吹家"这样的词就是恶语中伤的一个例子。

其次，作者树立了一个靶子来加以攻击，让我们更容易站在他这边，而这个靶子实际上根本不存在。他有意拓展对方的立场，使其达到易于攻击的程度。这个例子里的错误假设是：作者所攻击的立场和立法中实际呈现出来的立场相同。儿童在一些通用计划里是否真的是试验品？批判性思考的人得出的教训是：如果有人攻击一个立场的几个方面，一定要经常查看一下他是否公正全面地表现了这个立场。如果没有的话，你就找到了一个**稻草人谬**

⊖ 诉诸感情谬误指使用带强烈感情色彩的语言来分散读者或听众的注意力，让他们忽视相关的理由和证据。常被用来加以利用的感情有害怕、希望、爱国主义、怜悯和同情。

误[⊖]（straw-person fallacy）。

稻草人不是真人，而且很容易被击倒，如同一个人犯了稻草人谬误其立场很容易被攻击一样。要检查一个立场被表现得到底有多公平，最好的办法就是找出所有立场的事实。

现在让我们进一步仔细分析第二条理由。作者说要么父母有权塑造子女的性格，要么国家应该被赋予决定权。让我们快速看一看布兰妮·斯皮尔斯（Britney Spears）在《马戏团》（*Circus*）里所说的另一个例子："世界上只有两种人——一种人表演，另一种人观看。"

要让这样的陈述成立，我们必须假设只有这两种选择，是不是这样呢？当然不是！作者创造了一种虚假的两难选择（false dilemma）。有没有可能既让儿童发展项目存在，同时又让家人对孩子的成长施加重要影响呢？当争议被表现得好像只有两种可能的选择时我们一定要特别当心，事实上总有两种以上的选择。如果一个持论者通过陈述仅仅两种选择来过度简化一个论题，他所犯的这种错误就叫做**虚假的两难选择谬误**[⊖]（either-or false dilemma fallacy）。要找出两难选择的谬误，需时时警惕下列这些词汇：

- 不是……就是……（either…or）
- 唯一的选择就是（the only alternative is）
- 两种选择分别是（the two choices are）
- 因为甲不起作用，那只有乙能（because A has not worked, only B will）

⊖ 稻草人谬误指歪曲对方的观点，使它容易受到攻击，这样我们攻击的观点事实上根本就不存在。

⊖ 虚假的两难选择谬误指当现实中存在两种以上的选择时却假设只有两种解决方案。

看到这些词语也并不一定意味着你发现了一个谬误，有时候真的只有两种选择。这些词不过是引起你当心的警告标志，见到它们的时候要停下来想一想："在这个案例中是不是还有两种以上的选择呢？"

你能否看出下列对话中的虚假的两难选择呢？

> 市民：我想美国政府决定入侵伊拉克犯了个大错误。
>
> 政客：你为什么要恨美国呢？

当我们要为某一类行为寻求解释时常常会遇到越想越糊涂的情形。大学室友之间的一个简短对话就体现了这种犯糊涂的情况。

> **丹**：我发现查克最近的行为一直有点古怪。他对别人的态度真的很粗鲁，把学生宿舍里弄得一团糟，而且坚决不清理干净。你认为到底发生了什么事？
>
> **凯文**：对我来说这一点都不奇怪，他就是个混球。

要解释这一点，首先就要分析一下为什么这一行为会发生。解释是个耗时费力的活儿，经常要检验我们知识的边界。在上述例子中，"混球"对查克的古怪行为而言是个难以令人满意的解释。当我们被要求解释为什么特定的行为会发生时，我们常常受到诱惑，想要隐藏我们对很多复杂因果关系的无知，干脆给那种行为贴上个标签或者套上个名字，然后我们错误地假设因为我们知道那个标签或名字，我们就知道事情的起因。

我们这样做是因为命名欺骗了我们，让我们相信自己找出了那个人有什么特点或是什么样，这样也就使他有了相应的行为，斯人有斯事也。例如，比起要详细说出一套又一套复杂的内因和外因导致了一个人大发脾气，诸如人际关系出现的种种问题、父母对他的强化训练、孤立无援的感觉、睡眠不足和生活中的紧张刺激等因素，我们干脆简单地说那个人脾气不好，或者那个人是好与人为敌。这样的解释过于简化问题，阻碍我们找到更富有洞察力的理解。

下面的例子应该提高我们对这类谬误的警惕感：

（1）为了解释老爸酗酒的毛病，当老妈被大女儿问道："为什么老爸行为这么古怪？"老妈回答说："他正在经历中年危机。"

（2）有个朋友老是担心其他人背后说他。你问一个心理学家他为什么会这样，心理学家回答说："因为他有妄想症。"

两个回答问题的人都没有令人满意地解释所发生的行为。比如，老爸基因的具体情况、工作上的压力、夫妻间的争吵还有锻炼的习惯等都有可能提供老爸酗酒的合理解释。"中年危机"不但不合适，而且误导别人。我们本以为自己知道了为什么爸爸酗酒，而实际上什么都不知道。

当有人宣称他们发现了导致某个行为的原因，而实际上他们所做的不过是为这种行为起了个名字而已，我们要对这种**乱扣帽子谬误**⊖（explaining by naming fallacy）保持警惕。

————————————————
⊖ 乱扣帽子谬误指错误地假设因为你为特定事件或行为提供了一个名称，你也就合情合理地解释了这一事件。

警惕分散注意力的干扰

那些尽力要让人接受其断言的人常发现，只要他们防止别人太过详细地审视他的相关理由，他们就可以捍卫这一断言。他们通过分散注意力的策略来防止人们近距离地查看。在你寻找谬误的时候，你会发现下面这个行为很有帮助，那就是当持论者使用的那些推理论证主要是为了转移你的注意力，让你不再关注最相关的那些理由时，你就要特别警惕。例如，人身攻击谬误可以通过转移我们的注意力，让我们多多关注这个人的本质从而忽略掉那些正当的理由来愚弄我们。在这一部分，我们提供更多练习来展示其他类型的谬误，只要我们提出以下问题："作者有没有通过转移我们的注意力来欺骗我们？"就有可能发现这类谬误。

练习三

政治演说：在即将到来的选举中，你迎来了为一位女性投票的良机，她代表了这个伟大国家的未来，她为实现民主长期奋斗，为捍卫国家利益不遗余力，她为追寻美国梦想而当机立断、信心百倍、勇往直前。这位女性充满爱心，为儿童福利出力，为环境保护奔走，为推动国家迈向和平、繁荣和自由而出谋划策。投古德哈特（Goodheart）一票就是投真理一票，投梦想一票，投常识一票。

听起来好像古德哈特女士是个完人，是不是？但是这一演说却没有提供任何具体细节，说明这位参议员过去的记录和对重大事件的现有立场，取而代之的是一连串的美德词汇（virtue words），全都倾向于和我们心中积极的感情产生联系。我们把这类美德词汇称为光环效应（glittering generalities），因为它们都能让人产生正面积极的联想，而且它们都很概括，简直读者想它们是什么意思它们就是什么意思。这种光环效应的手法让我们赞成或者接受一个结论，而根本不去检查相关理由、证据或具体的优点和缺点。**光环效应谬误**⊖就好像是把恶语中伤的方法颠倒过来，因为恶语中伤重点是要我们形成负面的评价而不去检查其证据。美德词汇的使用是政客们经常玩弄的手腕，因为这个手法可以分散读者或听众的注意力，让他们不去关注具体的行动或政策，而这些行动和政策更容易招致反对和批评。

让我们看一看另一个非常常见的转移注意力的手法。

练习四

医药公司修改研究数据，以便让它们的止痛药对健康的危险显得比实际中要小一点，我不明白为什么每个人对这种做法感觉不舒服。服用那些药物结果根本不会那样糟，毕竟还有成千上万的人使用这些止痛药，并且从中获得了缓解疼痛的效果。

问题的实质是什么？对止痛药的安全性公众是不是被误导了？但是如果读者不够细心，他的注意力就会被转移到公众是否想使用这些药物的问题上去。如果一个作者或演说者将我们的注意力从论题上面转移走，我们就可以说他故意把话题转移到与其原来主题不相干的事情上去。我们很多人都擅长犯**转移**

───────────

⊖　光环效应谬误指使用模糊、引发人们强烈感情认同的美德词汇，使我们倾向于同意某件事而不去细致检查其理由。

话题谬误[⊖]（red herring fallacy），正如下面这个对话所示：

> **妈妈：**你和男朋友到哪儿去了？你为什么要跟我撒谎？
> **女儿：**你总是挑我的错儿。

如果当女儿的成功了，问题就变成这个当妈的是不是在挑女儿的错，而不再是当女儿的为什么要跟妈妈撒谎。

只要你脑子里谨记真正的论题所在，同时牢记解决这一论题所需要的证据，一般而言要找到转移话题谬误并不难。

这种类型的推理是错误的，因为仅仅改变讨论的主题，很难被当做反对某一断言的一个论证。

愚弄人的循环论证

最后要介绍的谬误特别具有欺骗性。有时候，一个结论会自己证明自己，只不过措辞有所改变，用来愚弄那些单纯无知的人！例如，论证退学是不可取的，因为它是不好的，这实际上跟没有论证没什么两样。结论由同一个结论来证明（只是表述不同）。这样的论证其实是在回避问题，而不是在回答问题。这就是**循环论证谬误**[⊖]（begging the question fauacy）。让我们看一个稍微有点不太明显的例子。

⊖ 转移话题谬误指一个不相干的话题被插进来，将注意力从原来的论题上面转移走，通过将注意力转移到另一个论题上来帮助赢得一场论战。这个例子中的谬误顺序如下：①甲主题正被讨论；②乙主题被介绍进来，好像和甲主题有关，实际上并不相干；③甲主题被置之不理。

⊖ 循环论证谬误指在推理过程中已然假设自己的结论成立的论证。

> 阅读传统教科书比阅读电子文本在学习效果上要好得
> 多，因为以教材的形式来展现各种材料非常有利于学习。

同样，支持结论的理由只是用不同词语重申了一遍结论而已。根据定义，传统的教科书都是以教材的样式以供阅读的。作者的论证是：这种做法非常好，因为它非常好。一个合理的理由一定是指出阅读传统教材的某个具体的好处，例如对所学材料的持久记忆。

只要结论本应该是通过推理过程被证明出来的，实际上却是被假设出来的，结论先行就在所难免。当你列出论证的结构提纲后，请检查一下理由，以确保它们不是仅仅用不同的词语在重复结论，再检查一下看看结论是不是用来证明理由的。为了避免你陷入困惑，我们用两个例子来加以展示，一个论证是回避问题，另一个则不是。

> （1）让媒体对自己的新闻来源保密对于国家来说非
> 常有利，因为这就增加了个人提供证据来举报权威人士
> 的概率。
> （2）让媒体对自己的新闻来源保密对国家而言非常
> 有利，因为个人有权向媒体提供信息而不必确认自己的
> 身份，这样做将非常有助于大集体的利益。

例（2）就是在重复结论，以此来回避问题。它并没有指出具体的有利地方到底在哪儿，而是简单重复新闻来源的保密对整个社会有好处。

使用这个关键问题

当你找到一个谬误的时候，你也就发现了一个合情合理的依据来反驳持论者的那部分论证。但是对于建设性的批判性思维精神而言，你还是想要考虑论者提出的任何一个不是谬误的理由。可惜的是，一本书或一篇文章的作者并不能亲自过来和你深入探讨。但是在口头论辩中出现的那些谬误，你想要深入交谈的最有效措施就是问一下犯了逻辑谬误的对方有没有更好的理由来证实其结论。例如，如果一个转移话题的谬误发生，问一下谈话者可不可以回到原来的那个论题。

推理错误小汇总

我们已经通过各种练习向你展示推理过程可能出错的大量方法。我们并未穷尽所有的错误方法，但是我们为你提供了一个良好的开端。我们留下一些额外的谬误放到后面的章节中讨论，因为只要你专心关注后面章节中所讨论的具体问题，你极有可能自己辨别出它们。等你遇到每个额外的谬误，请确保将它们添加到这个谬误清单中来。

要找出推理谬误，请记住什么样的理由才是好的理由，也就是与论题相关的那些证据和道德原则。一旦推理中出现了错误假设、分散注意力或是支持已经假设结论就是真理的结论等诸如此类的现象，这一推理就应立刻遭到鄙弃。推理论证一旦诉诸大众认可的观点或者诉诸权威，这样的推理也应该小心对待。你应该不停地问："将这些请求当成说服人的证据有没有扎实过硬的理由？"下面按顺序给你列出一个预警的提示：不要自然而然地就驳斥依赖诉诸于权威或者大众认可观点的那些推理论证。小心谨慎地评价这样的推理论证。例如，如果国内大部分医生都选择坚持慢跑锻炼，在判断慢跑锻炼是否有益于健康这个论题时就是个值得考虑的重要信息。有些权威确实拥有价值非凡的信息。因为他们作为证据来源的重要地位，我们将在第 7 章中具体讨论诉诸权威这一部分。

一旦作者有下列行为之一，你就应该驳回其推理论证

- 对人不对事
- 使用滑坡推理方式
- 表现出寻找完美解决方案的趋势
- 用模棱两可的话隐瞒真相
- 不恰当地诉诸公众意见
- 诉诸可疑权威
- 诉诸情感
- 攻击稻草人
- 呈现虚假的两难情形
- 通过恶语中伤来解释
- 将注意力从论题上转移开
- 通过光环效应来让读者分神
- 循环论证
- 介绍另一个话题来转移注意力

扩展你关于谬误的知识

我们建议你参考其他教材和某些网站来扩充你对推理谬误的认识和理解。戴默（Damer）的《抨击错误推理》（*Attacking*

Faulty Reasoning）就是个特别好的资源，可以帮你更加熟悉推理中的谬误。

轮到你自己写时，可得吸取教训

当你和别人交流的时候，自然而然要牵涉到推理论证。如果你的目的是表达一个无懈可击的论证，当中你不想诱骗读者来同意你的结论，那么你就肯定想要避免犯推理谬误。意识到其他作者可能犯的那些错误，前车之鉴让你在构建自己的论证大厦时会加倍小心。你可以细细检查自己的假设，记住多数有争议的论题都需要你具体阐述其中的有利和不利因素，手边时时有一份可能会出现的推理谬误清单，这样你就可以避免这些谬误。

来，做做思维体操

? 关键问题：推理论证中有没有什么谬误？

请找出以下三篇练习文章推理中存在的谬误。

⊙ **第一篇**

卫生局局长超越他自己的职位权限，建议从三年级开始就要开展明确的性教育。很显然他又是一个席卷全国的艾滋病严重焦虑的受害者。不幸的是，他的深受媒体宣传影响的宣言给那些支持明确性教育的人打了一针强心剂，哪怕对全国儿童造成损害也在所不惜。

性行为是一直局限在家庭小圈子里的隐秘话题，直到最近性教育才被强加给儿童。卫生局局长的建议将家庭的作用完全取消。本应该是父母对其子女解释性爱行为，而且采用的方式大家都不用觉得尴尬。没有家庭介入的性教育完全剥夺了价值观和任何意义上的道德观，因此应该加以阻止才对。多年来，家庭都承担了性教育的责任，而这才是性教育本应采取的方式。

⊙**第二篇**

比特犬通常受到大众的无理歧视，因为少数几例比特犬的凶猛行为导致人们异乎寻常的过激反应。只有傻瓜才会禁养这类犬种。大多数有关比特犬的投诉都来自恨犬人士，这些人一见到狗就吓得胆战心惊。我自己养了一只忠心耿耿的比特爱犬安迪已经七年多了，它一直都规规矩矩地表现良好。我坚信它绝对不可能去攻击一个陌生人。同样，还有欧维特医生，本地一家爱犬诊所的主任，他也说绝大多数的比特犬都不是好斗凶猛的。明确颁布某种比特犬禁养令只能是一种无用的姿态。我也见过不少其他犬类，例如金毛猎犬咬人。因此，单纯禁养比特犬并不能完全防止狗咬人。一旦禁养比特犬的法案获得通过，下一步必将是禁养一切可能咬人的狗。

⊙**第三篇**

比尔：窝藏图谋破坏美国恐怖分子的国家应该被当做美国的敌人。任何不将恐怖分子主动交给美国司法体系的国家都明白无误地站在恐怖分子的一边。这种行为意味着这些国家的领导人不愿看到这些恐怖分子受到应有的惩罚，而是更热心于窝藏杀人犯、强奸犯、小偷和反民主人士。

泰勒：一个人有直系亲属一直在为中情局效力，从他嘴里说出这样的话来，我一点也不觉得奇怪。但是在我看来，一旦你开始将那些和美国政策不一致的人贴上敌人的标签，那么最终导致的结果就是几乎所有国家都会被当做美国的敌人，那么我们最终成为孤家寡人，没有一个同盟。

 给个提示

⊙ **第一篇**

结论：性教育不应在学校开展。

理由：（1）卫生局长的报告体现了过度恐慌。

（2）卫生局长受到艾滋病恐慌和媒体渲染的影响。

（3）报告完全排除了家庭的作用。

（4）性教育是父母的工作，这是自古以来的方式，今后也应该保持下去。

作者论证一开始就攻击卫生局长而不是驳斥论题。他断言此建议是艾滋病恐慌的一个连带产品，而不是经过深入研究得出来的。他暗示卫生局长发表报告是为了呼应媒体上的热点问题，削弱了他的可信度和品格，因此是人身攻击。

第二条理由是稻草人谬误，因为它暗示性教育的目标就是包揽儿童性教育的一切。

他的第三条理由混淆了"是什么"和"该是什么"，因此是一厢情愿谬误（wishful thinking fallacy）的一个例子。性教育应该由父母承担和决定并不意味着父母会提供这些教育。

第四个理由体现了虚假的两难选择 —— 要么把性教育开除出学校课堂，要么面临道德滑坡和价值观缺失的一代儿童。但是有没有可能即使性教育在家中进行也照样会有道德滑坡的一代儿童？难道学校和家庭联手在性教育上各司其责就没有任何可能吗？教育培养出的儿童做好准备在生活中正确对待性问题，难道不比有道德缺陷的少年犯好？

⊙ **第二篇**

结论：比特犬不应该被禁养。

理由：（1）禁养的愿望来源于公众对少数几例咬人事件的过激反应。

（2）大多数投诉来源于仇恨犬类的人。

（3）狗主人知道比特犬从来不会咬人。

（4）禁养比特犬也解决不了问题，还是有其他种类的狗会咬人。

（5）爱犬诊所主任说多数比特犬都不是特别具有攻击性。

（6）禁养比特犬会导致禁养其他种类的狗。

这篇文章一开始就犯了人身攻击和恶语中伤的谬误，攻击那些想禁养比特犬的人的品格，而不是提出任何具体的论证。一厢情愿好像影响到作者的第三条理由。第四条理由犯了追求完美解决方案谬误。减少恶狗伤人的数量能解决一部分问题，即使解决不了恶狗伤人的全部问题。他的第五条理由犯了诉诸公众谬误，错误地估计因为很多人对狗都有这样一种看法，因此这种看法就是真的。他的最后一条理由犯了滑坡谬误，因为完全有可能立法禁养某品种的狗而不用延伸此法律到其他品种上去。

Chapter
第 7 章

证据的效力如何：直觉、个人经历、典型案例、当事人证词和专家意见

第 6 章通过学习怎样找到说理论证中存在的各种谬误，你在评价试图说服你的交流方面已经取得了巨大进步。接下来的几章我们将继续关注评价的过程，主要学习针对推理结构的一个具体部分来提出关键问题：对事实的断言。让我们先来看看这些断言的面目如何。

练习瑜伽减少了患癌症的风险。

打游戏促进手眼之间的协调能力。

越来越多的大学生宿醉以后来教室上课。《时代周刊》报道说，24% 的大学生报告过去两周内至少有过一次这类情形，头一天晚上饮酒太多，第二天醒来宿醉未消就去班级上课了。

我们怎么去看待这些断言？它们是否合情合理？多数推理论证都包含这类断言。本章我们就着手开始评价诸如此类的断言。

> **?** 关键问题：证据的效力如何：直觉、个人经历、典型案例、当事人证词和专家意见？

我为什么要相信它

几乎我们遇到的所有推理论证都包含了对这个世界曾经是什么样、现在是什么样和将来是什么样的看法，持论者希望我们将这些看法当做"事实"来接受。这些看法可能是结论，可能是理由，也可能是假设。我们可以把这些看法称为事实断言（factual claims）。

对于事实断言你要问的第一个问题就是："我为什么要相信它？"

接下来要问的问题是："这个断言需不需要**证据**来加以证实？"如果需要证据，但又没有看到证据，那么这个断言就是孤立论断（mere assertion），意思是它是一个没有用任何方式来加以证实的断言。你当然应该认认真真地怀疑孤立论断的可靠性！

如果有证据，那你的下一个问题就是："证据的效力怎么样？"

为了客观评价推理过程，我们要记住，**有些事实断言比其他事实断言显得更加可靠**。例如，认为"大部分美国参议员都是男性"这个断言是真的，也许你觉得很有把握，但是要说"练习瑜伽降低了罹患癌症的风险"这个断言也是真的，就不太有把握了。因为对大部分的断言来说，要证实它是绝对的真理或绝对的谬误，如果不是绝对不可能也是极其困难的。与其问一问它们是不是真的，我们宁愿问问它们是不是可靠。其实，我们想问的是："我们可以依靠这样的看法吗？"一个断言的证据数量越多、质量越高，我们可以信赖它的程度就越高，我们也就越可以称这样的断言为"事实"。

什么证据表明我们的学校需要被拯救

比如，有大量现存的证据表明乔治·华盛顿是美利坚合众国的第一任总统。因此，我们可以将这个断言当成事实。而对于"瓶装水比自来水饮用起来更安全"这样的看法就有许多相互矛盾的证据，这样我们就不能将这个看法当成事实。对于断言到底是观点还是事实，其间最大的区别就是有多少相关证据。支撑一个看法的证据越多，这个看法的"事实性"也就越高。

在我们判断一次交流活动的说服力之前，我们要知道哪个事实论断最为可信。怎么确定其可靠性呢？我们会问以下这样的问题：

- 你的证明是什么？　　　　　　• 你怎么知道它是真的？

- 证据在哪里？　　　　　　　　• 你为什么相信它？

- 你确信它是真的吗？　　　　　• 你能证明吗？

　　如果你养成经常问这些问题的习惯，你离跻身最佳批判性思考者也就不远了。这些问题要求提供论证的人揭示这些论证的基础来为其言论负责。任何一个提出论证的人，如果他想要你认真考虑这个论证，都会毫不犹豫地回答你的这些问题。他们知道自己有实质性的证据来证实其断言，因此，他们也想告诉你这些证据，希望你能渐渐认同他们的结论。如果有人对出示证据这一简单要求的反应是怒火中烧或退避三舍，他们这样做常常是因为自己觉得尴尬难为情，因为他们意识到，没有证据，他们对自己的看法本来不应该那样底气十足。

　　如果我们经常提这些问题，我们就会注意到，对许多看法而言，总是没有足够的证据来彻底干脆地证实或是驳倒它们。例如，很多证据都证实"每隔一天服用一片阿司匹林可以减少患心脏病的风险"这个断言，虽然同时也有一些其他的证据可以反驳这一断言。在这种情况下，我们就需要判断，证据数量上的优势到底在哪边，这样我们才能决定这一事实断言的可靠程度如何。

　　做出这样的判断要求我们提出以下重要的问题："证据的效力怎么样？"第 7 章到第 9 章主要关注我们需要问的一些问题，目的是确定持论者能在多大程度上支持他们的事实断言。事实断言的可靠程度越高，这一交流的说服力也就越强。

事实断言可靠吗

我们遇到的事实断言是：①描述性结论；②用来证实描述性或规定性结论的理由；③描述性假设。下面我们就每种情况举一个简单例子，通过简短的论证来说明它们。

①经常使用戴在头上的耳机有可能造成听觉损耗。科研人员在 251 名大学生中研究他们佩戴这种耳机的频率和持续时间，发现 49% 的学生表现出听力损伤的症状。

注意，"经常使用戴在头上的耳机有可能造成听觉损耗"是个事实断言，同时是个描述性结论，有研究证据来支撑。在这个例子里，我们不禁要问："那个结论（事实断言）是不是可以由证据来证实？"

②美国需要有更强硬的枪支管理制度。美国涉枪案件的数量在最近 10 年大幅度增加。

注意这里的事实断言是"涉枪案件的数量在最近 10 年大幅度增加"，它的作用是作为理由来证实一个描述性结论。在这个例子里，我们需要问的问题是："那个理由（事实断言）是不是可以由证据来加以证实？"

③教授们在课堂上需要增加更多积极的讨论，因为太多的大学毕业生缺乏批判性思维的能力。

一个没有明说的描述性假设将理由和结论连接起来。这个假设就是：学生们可以通过积极地参加课堂讨论来学习如何批判性地思考问题。

这个事实断言是个描述性假设，有可能可靠，也可能不可靠。在我们相信这个假设之前，也就是相信其理由之前，我们要问一问："其证据证明这个假设的效力怎么样？"你会发现虽然很多持论者意识到用证据来支持其理由的必要性，但他们却没有明白让他们的假设显得一目了然的这种必要。因此，用来证实假设的那些证据很少会出现，尽管在很多情况下这样的证据在判定论证的质量方面会大有裨益。

证据从哪儿来

什么时候我们才能接受一个事实断言，认为它可以信赖？在三种情况下我们最倾向于同意它是事实断言：

（1）当这个断言表现为无可置疑的常识，比如下面这样的断言："举重可以锻炼出身体中的肌肉。"

（2）当这个断言是从无懈可击的论证中得出的结论。

（3）当这个断言在同一场交流中被很多过硬的证据合理地加以证实，或者由我们所知道的其他证据来证实。

本章我们所关心的是第三种情况。确定证据的适当与否需要我们提出这样的问题："这个证据的效力怎么样？"要回答这个问题，我们首先必须要问："我们所说的证据到底是什么意思？"

小贴士：所谓证据，就是持论者所告知的明确信息，用来证实或捍卫一个事实断言的可靠性（参见第 2 章）。在规定性论证中，需要有证据来证实属于事实断言的那些理由；在描述性论证中，需要有证据来直接证实一个描述性的结论。

证据的质量主要取决于证据的类型。因此，要评价证据，我们首先要问："这是什么类型的证据？"知道了证据的类型就等于告诉了我们应该问什么样的问题。

如果运用得当，每种证据都可以成为"有效证据"，它有助于证实作者的断言。正如黄金勘探工通过仔细检查自己淘金盘里面的石子来筛查可能的高质量矿石，我们也必须仔细检查证据来判断其质量。我们想知道，"作者的证据是不是为其断言提供了可靠的支撑？"这样，我们一开始评估证据时就要问："证据的效力怎么样？"

我们要一直在脑海深处铭记，没有一样证据可以像灌篮那样一锤定音、一劳永逸。**你总是在找更好的证据，如果一根筋地去找完美证据，那你肯定要泄气。**

在本章和第 8 章中，检查针对每种类型的证据我们可以提的各种类型的问题，以帮助我们决定证据的质量。本章将要考察的证据类型包括直觉、个人经历、典型案例、当事人证词和专家意见。

主要的证据类型
·直觉
·个人经历
·典型案例
·当事人证词
·权威或专家意见
·个人观察
·研究报告
·类比

直觉作为证据可靠吗

"我就是感觉珍妮特和我是天生一对，尽管我的朋友
都觉得我们俩不搭调。"

"我就是有这种感觉，参议员拉米雷斯要让那些搞民
意调查的人大吃一惊，然后赢得选举。"

"我一下子就知道这台老虎机今天肯定会让我成为大
赢家。"

当我们用直觉来证实一个断言，我们依赖的是"常识判断
力"，或者依赖我们的"预感"，或是依赖"第六感"。听听朱厄尔
在歌曲里怎样赞美直觉是理解的源头：

跟着心儿走，

跟着感觉走，

它会领着你到你想去的地方。

放飞理智吧，

去寻找你的直觉，

很容易你就找到它。

———— 朱厄尔《直觉》

如果一个持论者说"常识告诉我们"或者"我就是知道这是
真的"来证实其断言，他就是在利用直觉作为证据。所谓**直觉**，
就是我们相信自己对某件事有直接的洞察力，却不能有意识地说
出理由的过程。

直觉最大的问题就在于它的私密性，别人根本无法判断它

的可靠性。因此，当凭直觉得来的看法相互冲突时（事实上这种情况常常出现），我们就缺乏坚实的基础来判断该相信哪些。同样，很多直觉依赖于无意识的加工，极大地忽视了相关证据，并且反映出强烈的偏见。因此，我们必须要警惕单凭直觉证实的那些断言。

但有时直觉其实也依赖于一些其他类型的证据，比如大量相关的个人经历和阅读经验，会不知不觉地从我们脑海的某个角落释放出来。例如，当有个经验丰富的飞行员在飞机排队起飞时候凭直觉感到飞机有点不对劲，我们很可能非常赞成对飞机做进一步的安全检查，然后再起飞。有时候，第六感并不是盲目的，只是无法对其加以解释。作为批判性思考的人，我们只是想查明那些依赖于直觉的断言有没有其他类型的证据来证实。

个人经历作为证据可靠吗

下面这个论证是使用一种特别类型的证据来证实一个事实断言。

> "我的朋友朱迪熬了一个通宵来复习备考，结果考得相当不错；明天我就要考试了，所以我觉得今晚没必要再睡觉了。"

> "我在吃了一大块巧克力蛋糕后常常觉得好过很多，所以我觉得任何感到郁闷的人只要多吃点巧克力蛋糕就行了。"

这两个论证都诉诸**个人经历**来作为证据。像"我认识有个人……""以我的经验，我发现……"这样的句子应该提醒你注意这类证据。因为个人经历过的事在我们的记忆里总是活灵活现，我们总是依靠它们做证据来支持一个看法。例如，也许你跟一个汽修工打交道后确实感觉糟糕透顶，因为他修车的费用高得离谱，这让你认为大多数汽修工都喜欢漫天要价。虽然这样来概括所有汽修工可能正确也可能不正确，但把这样的个人经历当作一般性看法的基础是个错误！因为单一的个人经历，甚至是个人经历的总和，根本不足以构成一个有代表性的经历样本，个人经历常常会导致我们犯下**以偏概全谬误**[⊖]（hasty generalization fallacy）。一次突出的经历或者几次这样的经历可以说明某个结果有可能出现，比如，你可能遇到过几个人声称因为他们没有系安全带，出车祸时因此得以保全性命。但是这类经历却不能说明这样的结果就是有代表性的或极有可能发生的。当你听到自己或者别人说，"嗯，以我的经验来看……"的时候，就一定要当心。

第8章里我们讨论研究证据和样本的问题时还要重温这种类型的谬误。

典型案例作为证据可靠吗

　　一所大学的校长说："我们的学生当然能找到收入丰厚的工作，能进入高等学府进一步深造。为什么？因为就在去年我们欢送过一个毕业生玛佳尼前往哈佛大学法学院深造。入学这一年来，玛佳尼一直排名在班级前5%

⊖　以偏概全谬误指一个人仅根据群体中极小部分人的经历就得出有关整个群体的结论。

成绩最好的学生之中。因此，我们的学生当然能在一流
大学取得令人瞩目的成就。"

有一种类型的证据经常会被用到，那就是不厌其详而又引人入胜地描绘或是塑造一个或多个人物或事件来证实某个结论。这类描述通常都是基于观察或者访谈，其形式也从深度描述到表面走过场等各不相同。我们把这样的描述称为**典型案例**（case examples）。持论者常常在游说型报告的开头部分来一段活灵活现的有关某个事件的生动描述，以便对听众动之以情。例如，支持禁止在开车时使用手机的一种论辩方法就是说一些让人肝肠寸断的故事，都是因为司机边开车边打电话而出了车祸，结果导致一众年轻人死于非命。

对我们而言，典型案例常常很有说服力，因为它们是那样具体生动而又细致感人，很容易就在我们的脑海里浮现出来。政治候选人越来越青睐在演讲中展示典型案例，他们知道案例中所表现出的丰富细节会激发听众热烈的情感回应。

因为生动具体的案例诉诸我们的情感，它们分散了我们的注意力，让我们不再纠缠于它们作为证据的价值，不再搜寻其他更为相关的研究证据。例如，假想出一个故事来描绘一个人怎样折磨并杀害了不计其数的受害人，这样的故事激发起我们强烈的感情，很可能就增加了我们想判他死刑的愿望。但是，这些罪犯中的人伦悲剧却有可能导致我们忽略这样的事实，那就是这样的案例极其罕见，在过去30年里，119名死刑犯都被发现是无辜的，并从监狱中无罪释放。**当心那些引人注目的典型案例被人用作证明！**

尽管典型案例和某个结论表现出一致性，但不要让这种一致

性欺骗了你。别忘了问自己一声:"这个例子有没有代表性?""有没有强有力的相反的例子?""这个例子被提及的方式中有没有偏见存在?"

有没有什么情况下典型案例非常有用,虽然它们算不上有力的证据?当然有!如同个人经历一样,它们也展现出各种重要的可能,让抽象的数据呈现出生动的个人面孔。它们让人们更容易联想到某个论题,因此对它产生更加浓厚的兴趣。

当事人证词作为证据可靠吗

加油站墙上的一则说明:"我的车老是漏油,送给简修过以后就再也不漏了。因此我强烈建议你将爱车送到简那里维修,不管什么发动机问题她都能修好。"

这本书看起来真不错。在书的封底,有读者评论说:"这本书我拿起来就放不下。"

商业广告、电影预告、图书封底的各式推荐、超自然现象的存在证明或者其他有争议的或意想不到的生活事件的描述,常常都利用一种特殊类型的诉诸个人经历的方法来说服别人相信它们。它们通过引述具体当事人的话,尤其是名人的话,来说明某一个想法或某一个产品是好是坏,或那些非比寻常的事情确实发生过,这些都基于他们的亲身经历。引用具体当事人的这些说法都被称为**当事人证词**(personal testimonials)。也许你在选择要上的大学时听过某些大学生的当事人证词。因此,当事人证词也是一种形式的个人经历,在这里某人(常常是名流)提供一种说法来证实某产品、事件或服务的价值，这种赞同和支持缺乏我们需要的任何信息，让我们可以判断应该让它在多大程度上影响我们。

这类的证据到底有多大用处？通常它的用处并不大。大多数情况下，我们对这类当事人证词无须过多关注，直到我们找出它们背后更多相关的专门知识、兴趣、价值观和偏见等。下列和当事人证词有关的每个问题我们都要特别小心。

- **选择性**。人们的经历总是迥然不同。那些尽力想要说服我们的人总是小心选择他们要用的证人和证词。在图书封底我们最可能见到的总是最好的溢美之词，而不是最有代表性的读者反响。我们应该时时刻刻追问这个问题：“我们没机会听到的那些经历感受又是什么样？”同样，那些站出来提供证词的人往往会对关注的问题有所选择，对那些证实他们看法的信息加倍关在，而对那些证伪他们看法的信息则加以忽略。我们常常说眼见为实，这里则倒过来，相信什么就看得见什么！我们的期盼心理极大影响到我们经历事件的方式。如果我们相信外星人生活在我们当中，或者人类从来就没真正登上过月球，那么我们就更有可能把模糊不清的影像看成外星人，或者看成政府有关登月阴谋的证据。

- **个人兴趣**。许多当事人证词，例如图书封面上的推荐、电影宣传、电视产品都来自那些可以从证词中获得一定好处的人。例如，医药公司常常给医生一点津贴让他们做研究，条件是要他们给病人开这家医药公司生产的品牌药。因此，我们需要问一问：“那个作证的人是不是和他提倡的东西有什么特殊关系，因此我们会在他的证词里发现强烈的偏见？”

- **省略信息**。当事人证词很少会提供足够的信息作为判断的基础。例如，当你的一个朋友鼓励你去看一部新电影，因为它是 "从没遇到过的好电影"，你应当善意地问一声，是什么让这部电影这样使人过目难忘。我们的评判标准和那些提供证词的人的评判标准很可能会大不相同。

- **人为因素。** 当事人证词的可信度这样大的一个原因是它们都来自激情四射的人，这些人看起来值得信赖、出于好意而且诚实守信。这样的人让我们想不信都不行。

专家意见作为证据可靠吗

> 根据医生的建议，我应该服用抗抑郁药物来帮助自己克服最近一段时间的抑郁症状，所以我不需要担心药物的副作用。

演说者通过**专家意见**来为他的断言辩护，专家一向被认为对某个既定主题要比我们绝大部分常人知道得多，当持论者诉诸权威或者专家时，他们求助的是那些他们认为其所处的地位能有渠道接触某些特定事实，并且有特殊资格从这些事实得出结论的人。因此，这些专家意见相对其他证明而言可能为论证添加更多的魅力，这主要取决于专家的背景。你每天都会遇到诉诸各种各样专家的论证，而你别无选择只有依赖他们，因为面对纷繁复杂的生活我们只能在某几个方面小有所成，而要样样精通，我们既无时间也无知识储备。

> **电影评论家：**"年度十佳影片之一。"瓦莱丽影评

（*Valerie Viewer*），托莱多报（*Toledo Gazette*）。

> **参加现场访谈的专家：**"经济正在走向衰退。"
>
> **社团组织：**"美国医药协会支持这一立场。"
>
> **科研人员：**"研究表明……"
>
> **亲戚：**"我爷爷说……"
>
> **杂志：**"根据《新闻周刊》的报道……"

我们可以从这些渠道获取专家的建议，诸如怎样减肥、怎样获取幸福、如何变有钱人、怎样降低胆固醇含量、怎样养育适应社会能力强的孩子，以及怎样钓一条大鱼，等等。你很容易就能在这个单子上添加更多的条目。

很显然有些专家意见应该比其他证据更受我们的青睐。为什么？因为有些专家金口玉言，发表观点要比其他专家谨慎得多。比如，《新闻周刊》和《时代周刊》在发表一个观点之前要比八卦报纸《国家询问报》更有可能仔细评估到手的证据。讨论精神分裂症的文章，如果它们是贴在美国国家精神卫生研究院（National Institute of Mental Health）的网页上，比起贴在个人网页上而言就更有可能是基于仔细收集的证据。比起大报主笔来，我们的亲人就不太可能更加系统地评价一个政治候选人。

你应该记住的是专家也会常常犯错误。同样，他们内部也常常意见不统一。下面这些例子，取材于《专家如是说》（*The Experts Speak*）○，就清楚地表明专家观点的不可靠。

○　Christopher Cerf，Victor Navasky. The Experts Speak [M]. Villard Books, New York，1998.

"我想电脑或许有世界市场，但至多只卖得出去五台。"

———托马斯·沃森，IBM 主席，1943 年

"录像占领任何市场超过六个月就要全面失守。每天晚上老盯着个夹板箱看，人们很快就厌烦了。"

———达利尔 F. 扎努克，二十世纪福斯电影公司总裁

以上引用的这些话应该提醒我们，当持论者诉诸专家意见时我们需要问一问关键问题。我们要问的问题是："我们为什么要相信这个专家呢？"说得更具体一点，我们应该针对专家追问以下这些问题。

对于所谈论的这个主题该专家所拥有的专长、训练或特别知识到底有多少？这个主题是不是他潜心研究多年的成果？或者，这个人有没有与此主题相关的丰富经历？

这个专家所处的地位是否有特别好的渠道来获取相关事实？比如，他所断言的事件他是否涉足其中并拥有第一手资料？总体而言，你应该对掌握第一手资料的专家（他涉足相关事件并拥有第一手资料）比持有第二手资料的专家更有信心。比如，《新闻周刊》和《时代周刊》，都是第二手的资料来源；而研究型期刊，如《美国医学协会杂志》，则是第一手资料来源。

有没有较好的理由让人相信专家的意见相对而言不会受到歪曲？能够影响到证据呈现方式的因素非常多，有个人需求、早先预期、普遍信念、态度、价值观、相关理论和意识形态等。例如，如果一所公立大学校长被问及削减教育经费是否对大学造成不利影响，他十有八九要回答"有影响"，并且给出一大堆过硬的理由。也许他给出的对大学境况的见解不偏不倚，但是由于他所处

的职位，我们还是会关心他找出的理由有没有可能只是为他自己的偏见辩护。

我们所说的有偏见或有歧视，意思是我们在查看证据之前就对某事的好坏怀有强烈的个人感情，强烈到干扰了我们公正评价证据的能力。因为几乎在我们所有的判断中都有很多因素让我们怀有偏见，我们很难期望任何专家完全不带偏见。但是我们从某些专家那里可以比从其他专家那里少获得一些偏见，只要我们先通过搜寻专家在这个主题上的个人利益的有关信息来确定这类偏见。比如，当一个专家准备从他提倡的某些行动中获得较大的经济利益时，我们就要特别加以小心。

我们也不能仅仅因为怀疑专家的个人利益有可能会影响到他的公正性，就毅然抛弃一个断言。我们可以采取的一个有效步骤，就是检查一下看看那些持不同观点、不同预期、不同价值观和利益的各路专家是不是同意他的断言。因此，问一问以下问题不无好处："这个专家是不是因经常做出可靠的断言而名声在外？"

当你在网上遇到事实断言时，你会特别关心专家的可靠度怎么样。我们上网的时候，几乎每个人都变成潜在的"权威人士"，因为人们想说什么就说什么，断言满天飞。电脑并没有内置的处理器来评价这些断言，这明明就是个"购物须谨慎，上当自负责"的情况！

你应该努力了解网站的建设目的、信誉以及与之有联系的发帖者的经历，了解得越多越好，同时了解他们提供的那些用来支持结论的推理的性质，尤其要注意他们的推理结构。检查一下看网站是不是与声誉较高的其他网站有关系或者有链接。

网站可能不可靠的其他线索还包括帖子没有注明发表日期，

网站的外观非常不专业，模糊不清楚的断言，泛泛而谈、一概而论（例如用"总是"、"从来不"这样的词），还有感性的而不是小心求证的完全一边倒的观点，缺乏第一手资料来源的证据，将道听途说的证据拿来就用，以及数不清的推理谬误，最后还有从其他网站搬来的有关同一主题的大量证据。

引用套引用的问题

随着很多传媒的新闻从业人员规模越来越小，有种特别麻烦的诉诸专家意见的情况近来变得越来越常见，那就是某种情况下一个专家引用另外一个专家的话来证实某个观点。例如，有份报纸（如《纽约时报》）引用另一份报纸（如《华盛顿邮报》），或者一家通讯社（如路透社）引用另一家通讯社（如美联社）。这些引证给人一种支撑证据的幻象但是却绕过了一个最基本的问题：那个原始专家的断言到底有多大可信度？引用别人引用过的话来获得资讯，就好比把报纸上的同一篇文章读了一遍又一遍，希望得到一些新信息。还有个相关的问题就是引用"不署名的来源"，或者提到"某人说……"。如果你遇到诉诸专家意见的情况让人很难确定原始断言的要点，这时候你就要加倍提防。

使用这个关键问题

当你识别出将直觉、个人经历、典型案例、当事人证词和专家意见作为证据所存在的问题，你就有了合理的理由犹豫要不要接受基于这样的证据所得出的结论。知道它们存在的问题让你有了防护盾来抵御一些伪造的推理。但是，你真的很想努力去公平对待人们希望你考虑的那些论证，所以问问那些给你一些经不起推敲的证据的人，他们能不能多给你些扎实点的证据就变得很有意义。要给所有论证它们应得的每个机会。

轮到你自己写时，可得吸取教训

作为作家，你理应期待读者和你一样对用过硬证据支撑起来的论证感兴趣。读者可能会基于你的证据来决定是接受还是抛弃你的论证。你应当将证据融入你的写作当中，好像读者和你一样受过严格的训练并拥有相同的期望。让我们进一步考虑一下这个建议。

期待批判性的读者

如果读者的工具箱里有和你相同的一套问题，并且和你一样对证据有相同的期待，你又预备怎样去满足这样的读者？你应该站在他们的角度思考。如果你是读者，面对相关证据你会怎么问，那就期待读者提出同样的关键问题，然后未雨绸缪地尽量去回答这些问题。对你所提供的证据要竭尽所能地告诉读者其来龙去脉。谁发表的？作者或者资助这一研究的机构有没有什么明显的偏见？他们的背景是什么？数据新不新？某个观察或经历的概括性怎么样？你有没有注意到证据存在什么潜在问题，比如说样本数量有限或者有遗漏信息？

等你把这些担心的问题都拿到表面来，你就面临自己做决定的时刻了。你必须要判断自己是否提供了足够的质量过硬的证据。这个决定可不好做——每个证据都有其长处和短处。虽然我们不能给你一套明确的规则来让你辨认出你的论证是不是需要更多或更好的证据，但我们确实有几条根据经验得出来的原则让你做参考。

判定你要不要更多的证据

你的结论或是理由争议性越大，你花在提供证据上的时间就应该越多。你的听众应该很快就能接受那些相对而言无可争辩的信息，例如，马萨诸塞州州长的名字，情景剧《老友记》播放了多少年，或者卡塔尔的首都在什么地方。但是听众并不情愿接受一个有争议的观点，例如前马萨诸塞州州长德瓦尔·帕特里克应该重新当选为州长，《老友记》比其他任何情景剧都更影响到 20 世纪 90 年代后期的衣服款式，或者卡塔尔应该主办国际足联 2022 年的世界杯足球赛。这些断言都是有争议的，既然这样，读者就会期待从你那里获得更多的证据，这样他们才会接受你的结论。

最后，你应该特别留意那些只依赖于一个当事人证词、一个专家意见或者是其他类型的在学术类写作中较少考虑到的证据来加以证实的论证。这些章节主要是提出更多的证据，接下来的章节会解释为什么。

你的学术写作和证据

当你致力于一项写作任务时，你同时也致力于坚守一系列写作习惯和写作期望。很多这样的习惯和期望都和写作风格有关，比如说，是不是要避免前后矛盾或淫词艳语。这些写作习惯会随着环境的改变而改变——也许在网络论坛上和朋友们一起聊天，插一句充满激情的解释可能合情合理，但是在写给导师的正式报告里这样做就不合常规了。这样的原则也延伸到你选择包含到作品里的那些证据的类型。我们在本章所罗列的一些证据对于一般性的写作或者交流而言可能更为合适一些，例如在 Urbanspoon.com 网站上写对一家新开业的餐馆的评论，或者是催促你的玩家好友下载新的资料片来参加你的多人在线角色扮演游戏。但是，我们怀疑接下来的几年里你的写作大部分都会是学术写作。学术写作对于证据的质量有一定要求，学科不同其期望值也不同，但是都有一定相似性。当你理解了这些要求以后，在你决定是否添加更多证据来扩充论证的时候就能为你提供指导。

在学术写作中，可公开验证、依据科学方法进行并且在出版之前接受同行评价的研究被赋予较高的价值和意义。这些标准都提高了证据的可信度，它们让观察变得更有概括性。我们将在第 8 章讨论其原因。现在我们想强调的是要在学术写作中留心那些仅仅依靠直觉、个人经历、典型案例、当事人证词或者专家意见得来的那些理由。很可能你想利用经过同行专家评价的研究、用稳妥的研究方法得来的民意调查和严守学术标准进行的科学研究来支撑这些部分。在学术写作中，读者既期盼也欣赏这样的证据。

在本章中，我们主要关注如何评价几类用来支持事实断言的证据：直觉、个人经历、典型案例、当事人证词以及专家意见等，依赖这类证据时一定要格外小心。我们已经提出一些问题，你可以依靠这些问题来判断这类证据是不是可靠的。在第 8 章中，我们会接着讨论其他类型的证据，同时我们还要问同样的问题："这个证据的证明效力怎么样？"

.... 来，做做思维体操 ·····················

?　关键问题：证据效力如何：直觉、个人经历、

典型案例、当事人证词和专家意见？

评价下列三篇文章中的证据。

⊙ 第一篇

有些知名篮球运动员一心想在比赛中盖别人一头，他们发现了一种既便宜又有力的装备来提高他们的投篮命中率，那就是"前进"头箍（HeadUp HeadBand）。根据制造商的信息，制作这种头箍所用的材料可以和头部的自然能量区域相互作用，结果可导致投篮时的注意力大大增强。现在戴这种头箍的篮球明星在娱乐与体育节目电视网（ESPN）体育记者的访谈中这样评论头箍产品：

伦尼·达比芬："我现在不戴头箍不打球。每投一次球，我都能确切感受到篮球飞往球框的中心点。"

邓肯·丹尼尔斯："太神奇了。我从来没有在篮球比赛当中这样施展头箍的妙用。现在我力劝全队的人都戴这个。"

⊙ 第二篇

保妥适（BOTOX）瘦脸针是不是整容手术的一个安全选择？根据《时尚COSMO》杂志上面发表的一篇对莫丹辛医生（Dr. N.O. Worries）的访谈，保妥适注射根本不会产生任何危险的副作用。莫医生每个月都要做几百例保妥适注射，是纽约城外科整形界的一块金字招牌，而且有自己的私人诊所。她宣称自己从来没有遇到过一例因注射保妥适而导致的严重问题，而且她的病人也

从来没有报告过一例副作用。此外，好莱坞整形医师协会在新闻公告中发表官方声明，从来没有证据表明保妥适会引起任何不良反应，不管其他医生会不会反驳。

⊙第三篇

苹果电脑是不是真的比常用普通电脑好得多？答案自然是响当当的一声"是"。《电脑发烧友季刊》（*Computer Nerds Quarterly*）最近登出一篇文章，全面列举苹果电脑有而普通电脑没有的每个优点。而且，只要问一问苹果电脑的用户他们立刻就能说出苹果电脑比普通电脑好的一大堆理由。例如，一个苹果电脑用户雪莉说："我的苹果电脑是我买过的最有价值的商品，速度快，用起来方便，而且从来不死机。我那些用电脑的朋友没一个不抱怨各种各样的电脑问题，而我的苹果电脑从来没有过。"更重要的是，《消费者事务杂志》（*Consumer Affairs*）最近一篇报道说，比起常用操作系统，现在更多的新公司开始使用苹果系统。很显然，苹果电脑比普通电脑已经略胜一筹。

给个提示

⊙第一篇

结论：戴"前进"头箍提高了篮球明星的投篮命中率。

理由：著名篮球运动员热烈谈论头箍的正面作用。

我们不能依赖这些名人证词而把它们当作有效"证明"。这篇文章极好地展现了把当事人证词当成证据的弱点所在，同时也展现了期望值在影响人们看法方面的威力。这些成功的故事到底有多大的代表性？随机选择的头箍使用者会不会对它有这么多的溢美之词？运动员是不是确实提高了投篮命中率，如果是，这种提高是不是偶然事件？有没有其他原因引起命中率的提高？这些挑选出的运动员是不是耳根子特别软？如果没有收集到更多的系统研究数据，我们就不能下结论说这些头箍对于提高篮球运动员的投篮命中率非常有作用。

⊙ **第二篇**

结论： 保妥适注射是安全的。

理由： 一个整形医生和一家国立专业机构都宣称保妥适安全。

我们到底该有几分相信这些专家意见？信不了几分。首先，这两个专家都有可能非常偏颇不公，因为他们宣布这个产品安全便可以坐收渔利。莫医生的证言尤其值得怀疑，因为这仅仅是依据她个人的经历，很可能她没有去找失败的证据。那家专业机构的断言和莫医生的断言一样值得怀疑，因为这家机构就是由整形医生组成的，这些人都可能在做保妥适注射。如果这家机构认认真真拿出点系统研究，证明为什么保妥适是安全的，也许其断言还能让人少点儿怀疑。

Chapter

第 8 章

证据的效力如何：个人观察、研究报告和类比

本章我们继续评价证据的效力。我们集中讨论三种常见类型的证据：个人观察、研究报告和类比。当我们遇到有人把它们当作证据时，就要对这些证据逐个加以质疑。

> ❓ 关键问题：证据的效力如何：个人观察、研究报告和类比？

个人观察作为证据可靠吗

警察向徒手的人开枪并将其射杀就应该论罪处罚。尽管他宣称自己以为受害者是在伸手拿枪，旁观者报告说受害人根本就没有做出任何有威胁性的举动。

　　我们能在多大程度上依赖这样的旁观者的观察呢？一种有价值的证据就是**个人观察**，它是很多日常推理和科学研究的基础。例如，我们对亲眼所见的事情会感觉信心十足，因此我们倾向于依靠目击证人的证词来作为证据。但是，因为很多的原因，个人观察常常被证明是不可信赖的证据。

　　观察者，不像特定的镜子，并不能给我们提供"纯粹"的观察。我们所"见"所说的都是经过一系列的价值观、偏见、态度和期望值过滤后剩下来的东西。我们见到和听到的东西都是我们愿意听到和见到的东西，我们挑选和记住的那些经历的侧面都是和我们此前的经历和背景最相符最一致的那些侧面。此外，很多情况下都有各种重要的障碍阻止我们看清楚所发生的一切，比如说注意力无法集中，观察事件的快速进行，以及压力重重的环境。例如，你可以假想一下，如果一个人挥舞手枪指着银行出纳，而你站得离他非常近，你的观察有可能出现的偏差。

　　当报纸、杂志、书本、电视、网络和研究报告中使用观察得来的报道作为证据，你就得判断有没有过硬的理由来信赖这样的报道。最可信的报道往往是基于最近得来的观察，而且是几个人处在最佳环境里同时得来的观察，他们没有和观察的事件有关的明显而又强烈的期望值，同时也不带有任何偏见。

研究报告作为证据可靠吗

　　　　"研究表明……"

　　　　"研究人员在最近一份调查中发现……"

　　　　"《新英格兰医学期刊》（*New England Journal of*

Medicine）的一份报告显示……"

有一种类型的权威意见常常大量依赖于观察，并且常常占有特殊的分量，那就是**研究报告**：通常是由训练有素的科研人员来系统地收集观察数据。研究结果到底有多大的可信度？如同一般情况下诉诸权威意见那样，只有等我们问了一堆问题以后才能知道答案。

我们的社会越来越依赖于科学方法，并将其作为重要指导，帮助人们判定事实真相，因为这个世界上各种事件之间的关系错综复杂，因为人类对于这些事件的观察和理论总是错误不断。科学方法力求避免我们在观察这个世界时所携带的许多内在的偏见，避免我们的直觉和常识中存在的种种偏见。

科学方法有什么特别之处呢？首先，它追求的信息是以可公开验证的数据的形式出现的，也就是说，它的数据是在一定条件下获取的，如果其他的合格人士按照同样的条件，可以展开同样的观察，并进而获得同样的结果。因此，比如，如果有研究人员报告说他能在实验室条件下获得冷聚变，只有其他研究人员也能获得同样的结果，这个实验才会显得更加可信。

科学方法的第二个主要特点是它的可控性，也就是说，可以使用特别的程序来减少观察和研究成果诠释中的犯错率。例如，如果说观察中存在的偏见可能是一个主要的难题，那么研究人员就要尝试去控制这类的错误，主要方法是采取多个人员一起观察，然后看看他们相互之间能在多大程度上取得一致。物理学家经常在实验室中研究问题，以便能让外部因素的影响最小化，通过这种方法来加大对观察行为的控制力度。可惜在真实社会里实施控制通常比在物理世界里要困难得多，因此，很难将科学方法成功应用到解决复杂人类行为的很多问题中去。

语言的精确性是科学方法的第三个主要构成部分。许多概念常常容易混淆、模糊不清并且模棱两可。科学方法则力图在语言运用上做到精确和前后一致。

关于科学，虽然还存在远比我们能在这里讨论的要多得多的方方面面，我们只想让你记住，**科学研究，如果进行得比较理想的话，是我们获得证据的一个最好的来源，因为科学研究强调可验证性、可控性和精确性。**

研究结果能采用吗

可惜的是，一个问题应用了科学研究方法并不必然就意味着研究证据就是可靠的，或者对于证据含义的解释就准确无误。如同诉诸任何来源作为证据一样，诉诸科学研究的证据也需要谨慎对待。同时，有些问题，尤其是那些关注人类行为的问题，哪怕有最好的证据证明，我们也只能尝试着去进行解答。因此，对于研究报告而言，我们还要提出很多重要的问题，这样才能决定它们的结论到底有多大的可信度。

当持论者诉诸科学研究作为证据来源，我们应该记住以下几点：

（1）研究的质量有高有低，差别很大。有的研究精耕细作，有的研究偷工减料，我们自然更应该相信前者。因为研究过程太过复杂，而且受到太多的外来因素影响，哪怕是训练有素的研究人员，有时所做的研究也难免存在重大不足，在科学刊物上发表文章并不能确保这项科学研究就没有重大缺陷。

（2）研究成果常常会互相矛盾。因此，一旦脱离了研究某一具体问题的研究群所有研究的大环境，单一的研究所呈现的常常是引起误导的结论。最值得我们注意的研究结果是那些不止一个人或者是一群研究人员反复做过的研究。有很多断言从来没有被重新验证过，有很多断言重新验证以后得出的结果不能重复其原始的结论。比如说，最近发表在一份声望很高的医学杂志上的研究结果，对宣称成功进行过医学干预的那些备受重视的研究断言重新加以检测，结果有令人信服的结论表明，原来的断言中有41%都是错误的，或者有人为的妄自夸大存在⊖。我们需要不断追问以下这个问题："其他的研究人员有没有核实过这些发现？"

（3）研究结果并不能证明结论。充其量它只能支撑结论。这些研究结果本身并不足以说明问题。研究人员总是要解释他们的科学发现的意义，而所有的科学发现都可以找到不止一种的解释方法（参见第 7 章）。因此，研究人员的结论不应该被当成证明了的"真理"。当你遇到"研究结果表明……"这样的表述，你应该重新将其解读为"研究人员解释他们的研究结果是表明了……"

（4）如同我们大家一样，研究人员也有他们的期望值、态度、价值观和需求，这使他们所问的问题、做研究的方法、解释研究结果的方式都烙上了偏见的印记。例如，科学家通常都对某个特定的假说投入大量的感情。如果美国食糖研究所（American Sugar Institute）支付你的暑期研究津贴，那么你就很难发现青少年过量消费食糖的问题。好像所有容易犯错的人一样，科学家也可能会发现，要客观对待那些和他们相信的假说相冲突的数据是异常困

⊖　"Lies, Damned Lies, and Medical Science", November 2010, *Atlantic Magazine.*

难的。科学研究一个主要的长处就在于它总是尽力将程序和结果公开化，这样其他人就可以判断研究的优缺点，然后可以进行验证。但是，**不论一个科学报告看上去显得多么客观，还是难免会夹杂了重要的主观因素。**

（5）作者或演说者常常歪曲或者简化研究结论。主要的分歧常常发生在原始研究得来的结论和使用这个证据来支持持论者的看法之间。例如，研究人员可能在其原始研究报告中仔细限定了他们的结论，只不过结论到了他人手里，这些限定马上就被拿掉了。

（6）研究的"事实"会随着时间的流逝而发生改变，尤其是关于人类行为的那些断言。比如，下面的研究"事实"都在主流科学资料来源上报道过，但是都被最近的研究证据所驳倒：

- 百忧解、左洛复和帕罗西汀对于大部分抑郁症患者来说医疗效果要比安慰剂好得多。
- 吃鱼肝油、锻炼身体、做智力游戏能有效抵抗老年痴呆症。
- 麻疹疫苗可引起孤独症。

（7）研究的人为程度到底怎么样常常也会导致研究的变化。常常是为了达到控制实验的目的，使得研究失去了一部分现实世界的特征。研究的人为因素越多，就越难将研究结论推广到外部世界去。研究的人为因素问题在研究复杂的社会行为时变得尤其明显。例如，社会科学家会让人们坐在一间房间里，里面有电脑可以打游戏，主要为了测试人们的推理过程。研究人员尽力要理解为什么当人们面对不同场景时会做出不同决定。但是，我们应当问："一边坐在电脑前一边通过假想的情境来思考，是不是太过于矫揉造作，其实根本就不能告诉我们人们在面临真实的两难处境时做出决断的方法？"

（8）对经济效益、社会地位、人身安全和其他因素的需求可能会影响到研究的结果。研究人员也是人，不是电脑，因此要他们做到百分百的客观是极其困难的。比如说，研究人员想通过他们的研究来发现某个特定结果，这样他们就会按照心中所想的来解释研究结果，以便能发现他们想要的结果。获得资助、职位或其他个人奖励，这些压力可能会最终影响到研究人员解读数据的方式。例如，一家制药公司出钱赞助一个项目，主要研究使用这家公司的药物来进行药物干预的结果，比其研究同样的药物但是受到与那家制药公司无关的资助，如联邦政府基金的资助，这项研究更倾向于得出较高比率的正面结果。

赞成
• 科学研究能接受公开验证
• 研究可使用控制来让外部影响因素最小化
• 科学研究使用语言方面能做到精确和前后一致
反对
• 研究的质量和人为因素变化非常大
• 研究结果常常互相矛盾，事实会随着时间的流逝发生改变
• 研究结果只能支撑结论
• 科学研究是人类活动，它会受到歪曲，而且主观因素在所难免

科学研究作为证据

现在你发现，尽管研究证据有很多积极正面的特征，我们还是要避免过早地去拥抱研究结论。但是，你也不能仅仅因为有一丝疑云，就武断地抛弃一个建立在科学基础上的结论。"必然发生"常常只是个不可企及的目标，但并不是所有的结论都同样不可捉摸，我们应该时刻准备去拥抱其中某些结论，而抛弃其他一些结论。因此，当我们批判性地评价研究结论的时候，请小心不

要犯这样的推理错误，在有些结论中强求确定性，而我们明明只能从中得出一些并不能否定这一结论的不确定性。我们把这一推理错误称为**强求确定性谬误**⊖（impossible certainty fallacy）。

评价科学研究的一些线索

将以下这些问题应用到科学发现中，以此来判断这些发现是不是可靠的证据。

（1）报告的资料来源的质量怎么样？通常情况下，最可靠的报告往往出自那些发表在由同行专家评定的期刊上的文章，在这些期刊中，一项研究结果只有被一系列相关专家评价过以后才会被接受。通常情况下，但也不总是这样，资料来源的声誉越好，研究设计也就越好。所以要竭尽全力找出资料来源的声誉如何。

（2）除了资料来源的质量外，交流中有没有其他的线索显示这项研究完成得很出色？比如，报告有没有详细说明这项研究有什么特别的过人之处？可惜，我们在流行杂志、报纸、电视报道和博客里遇到的绝大部分关于研究结果的报告都没有提供足够的细节来说明此项研究，以确保我们对于这项研究质量的评价。

（3）研究进行的时间离现在有多久，有没有理由让人相信研究结果可能会随着时间的流逝而发生改变？很多研究结果会随着时间的流逝而发生改变。例如，有关抑郁症、犯罪或者心脏病的起因在 20 世纪 80 年代可能和在 2010 年看起来大不相同。

⊖ 强求确定性谬误指认为一个研究结论如果不是百分百确定的话就应该被抛弃。

（4）这项研究的结果有没有被其他的研究重复过？如果某一种联系总是在精密设计的研究中不断被重复并且总是前后一致地被发现——比如吸烟和癌症之间的联系——那么我们就有理由相信它，至少在那些不同意这一结论的人能提供较有说服力的证据来证明他们的观点之前，我们都会相信它。

（5）持论者在选择研究的时候是怎样精挑细选的？比如，有没有得出相反结论的相关研究被他忽略不计？研究人员是不是只选择那些支持他的观点的研究？

（6）有没有什么强势批判性思维的证据？作者或演说者对于先前那些支持他的观点的研究有没有表现出一种批判的态度？由于研究条件的限制，研究得到的大部分结论都需要进一步的证明。持论者有没有表现出要进一步加以证明的意愿？

（7）有没有理由让人蓄意要歪曲这项研究？我们要当心研究人员亟须找到特定结果的那些情况。

（8）研究的条件是不是人为制造的并因此遭到扭曲变形？记住一定要问一声："研究进行的客观条件和研究者概括的情境到底有多少相似之处？"

（9）根据研究样本，我们概括的范围到底有多大？因为这个问题非常重要，我们将在下一部分深入讨论。

（10）研究人员所使用的调查报告、问卷调查、等级评定或其他测量结果有没有偏见或者歪曲的现象存在？我们应该相信研究人员想要测量的东西他们一定会测量得准确无误。但是片面的调查报告和问卷调查这一问题在科学研究中简直无孔不入，我们只有在后面部分详细加以讨论。

样本能够代表整体吗

作者或演说者通常拿研究报告来支撑他们的概括性结论，也就是关于一般性事件（events in general）的断言。比如，"在本研究中，此例药物对 75% 的癌症患者治疗效果明显"并不是一个概括性的结论，而"此例药物可治愈胰腺癌"才是概括性的结论。我们对见到的很多公开发表的概括总结都需要做进一步的检查，看看有没有可能是过度概括（overgeneralizing）。下面让我们来看看是为什么。

首先，我们抽取样本的方式对判断我们能在多大范围内进行概括至关重要。能否从研究结果中进行概括主要取决于科研人员所研究的事件或人群的样本数量、覆盖范围和抽取的随机性。选取事件或人群进行研究的过程就叫做抽样（sampling）。

因为研究人员永远不可能对他们想概括的所有事件或人群无一例外地进行研究，他们必须要选择一些样本来做研究，但是有些抽样的方法比其他抽样方法更加可取。在你评价研究样本的时候，有几个重要的考虑因素必须要铭记在心。

（1）样本的覆盖率必须要大到足以产生概括或得出结论的程度。多数情况下，研究人员观察的事件或人群越多，他们得出的结论也就越可靠。如果我们要对"大学生在做学期论文时从别人那里获得帮助的频率有多高"这一课题概括出一般性的看法，我们研究 1 000 名大学生比只研究 100 名大学生自然会更有说服力。

（2）对研究者将要从中得出结论的所有事件的类型，样本必须覆盖足够的范围或者说包含足够的多样性。例如，如果研究者想要归纳出大学生一般的饮酒习惯，那么他们的证据必须要建立在从各种不同类型的大学的各种不同类型的学生中进行抽样的基础之上。

（3）样本的随机性越大越好。如果研究者随机取样的话，他们就在尽量保证想要概括的所有事件都有同等的机会得到抽样，同时也在竭力避免片面的取样。大型的民意调查，像盖洛普民意测验，常常都尽量随机地抽取样本，这样可避免特定类型的有片面特征的事件或人群局限了样本范围。你能不能看出以下每个样本具有什么片面特征？

（1）自愿报名接受访谈，讨论他们性行为的频率的一群人。

（2）只有有线电话的一群人。

（3）一堂心理学导论课上的学生。

（4）特定电视网的观众，比如说福克斯电视网（FOX）或者是微软全国有线广播电视公司（MSNBC）。

因此，我们就要对所有的研究问一问，"他们抽样的事件或人群有多少，样本的覆盖率有多大，样本的随机性怎么样？"

没有致力于搜集足够样本进行研究所导致的就是研究结果的过度概括，所表述的概括性结论远远超过此项研究所能保证的范围。在第 7 章里，我们已经提到过以偏概全这样过度概括的谬误。现在我们来仔细看看一项过度概括的研究：

> 参加在线约会的人极有可能成功找到自己的佳偶。有一项针对 229 人的在线调查，对象是年龄在 18 ～ 65 岁有过互联网在线约会经历的人，调查询问他们在网上的主要人际关系。调查结果显示：接受调查的人当中有 94% 的人在第一次见过他们的网络伴侣之后会再次约会，

这种网络情缘平均持续时间至少可达到七个月。

抽样的程序不允许这样一个宽泛的概括结论。此项研究的报告暗示这一结论可以推广到"所有"使用在线约会服务的人，而研究本身却只针对一个在线网站和 229 人这样一个小群体，而且研究并没有交代样本是如何选取的，因此，网站的随机性和覆盖率也无从得知。例如，也很有可能那些自愿参加调查的人都是那些成功找到佳偶的春风得意的人们。因此研究报告有瑕疵，因为它过度概括的程度太大。

> 小贴士：只有和我们研究过的人群或事件类似的或相同的情况我们才能加以概括。

调查和问卷的回答真实吗

夜幕刚刚降临，你才吃过晚饭，电话铃声响了。"我们正在做一项民意调查。你能否回答我们几个问题？"如果你回答说"可以"，你就变成成千上万年年参加调查的受访大军中的一员——这种调查是我们最常遇到的一种研究方法。想一想你听到下面这个词组的频率有多高："根据最近的民调结果。"

调查和问卷通常被用来测试人们的行为、态度和看法。它们的可信度怎么样？信不信它们得看具体情况！调查的回答会受到多种因素的影响；所以，我们在解释它们的意义时不得不倍加小心。下面我们就来盘点一下其中的一些影响因素。

首先，要使调查的回答变得有意义，针对这些调查的回答就必须是实话实说。也就是说，口头汇报必须要反映心中真实的看法和态度。可是，由于各种原因，人们常常要掩盖真相。比如说，他们可能会提供自己认为应该提供的答案，而不是真实反映内心想法的答案。他们可能会对问卷调查或者向他们提出的那一类问题心怀敌意，他们可能对这些问题不作任何思考。如果你曾经接受过任何类型的调查，也许你就能想到很多其他的影响因素。

小贴士：你不能想当然地以为调查得到的答案就准确反映出调查对象真实的态度。

其次，有很多调查问题的措辞显得含糊不清，这样的问题可以做出多重解读。不同的人其实很可能是在回答不同的问题！例如，设想一下这样的调查问题可能会面临多种可能的解读："你认为电视上有没有高质量的节目？"调查的措辞用字越含混，你对调查结果的可信度就越要打折扣。

你应该时刻记住要问一下这个问题："这个调查里的问题是怎样措辞的？"通常情况下，一个问题的表述越具体清晰，不同的人就越有可能对其做出相同的解读。

最后，调查本身所包含的很多偏见让它们变得更加可疑。其中两个最重要的偏见是措辞偏见（biased wording）和语境偏见（biased context）。所提问题的措辞偏见是最常见的问题，对提出一个问题的方式稍加改变就会对其回答的方式产生重大的影响。我们先来看看下面这个基于最近的民意调查得出的结论，然后再回头看看调查中所提出的问题。

一个大学教授发现，在他所任教的大学有56%的调查对象相信奥巴马的医疗改革方案对于国家而言是大错特错。

现在我们再来仔细看看调查中所提出的问题："你对于总统误入歧途地在全国大张旗鼓地强制推行奥巴马医改式的社会主义有什么看法？"你有没有看到问题本身存在的偏见？其中引导性的词语是"总统误入歧途地在全国大张旗鼓"以及"强制推行奥巴马医改式的社会主义"。如果将问题稍作改变，变成"你对总统的医改尝试，即要建立一套覆盖人群更广、成本更低廉而医保覆盖项目却大大增加的医疗体系有什么看法"，答案的面目会不会大不相同？因此，这里获得的答案只显示了一个关于新的医改方案的歪曲的观点。

调查和问卷数据必须接受审查来看看它们有没有可能存在偏见。**小心查看问题的遣词用字**！

语境对问题的答案所产生的影响也很可能非同小可。哪怕同样的问题答案也会随着调查的不同而有所不同，主要取决于问卷是怎样呈现的，问题是怎么放进调查中去的。下面这个问题包含在最近进行的两个调查当中："你认为我们要不要将饮酒年龄降低到 21 岁以下？"在一个调查中，这个问题的前面还有另一个问题："你认为选举权应不应该像现在这样被赋予 18 岁的孩子？"另一个调查中，前面的问题并没有出现。毫不奇怪，两个调查的结果会完全不同。你能明白语境会怎样影响到调查对象了吧？

另一个重要的语境因素就是问卷长度。在比较长的调查当中，人们对后面问题的回答可能和对前面问题的回答有很大的不同，只是因为他们做题做烦了。在评价调查结果时一定要警惕语境因素的影响。

因为人们回答调查的方式会受到许多未知因素的影响，比如说讨好访谈者的需要，或者对问题的不同解读，那我们应不应该将调查证据当成好的证据？对这个问题有激烈的争论，但我们的回答是"当然要"，只要我们足够小心，不要在调查证据范围之外去过多概括。有些调查的声誉要高于其他的调查。调查的质量越高，你就越应该受到其结论的影响。

我们的建议是仔细盘查调查的程序，然后再接受调查的结论。一旦你确定程序的质量，你就可以选择做出自己的合理概括——这个概括会考虑到你可能发现的任何一种偏见。**哪怕是片面的调查也可能会承载大量的信息，但是你需要知道偏见之所在，以防止自己过分被调查结果所说服。**

一个例子：对取消终身教职的批判性评价

以下论证中研究证据被用来证实其结论，现在让我们使用上述针对研究的问题来对下面的论证做出评估。

根据《时代周刊》进行的一项调查，现在是时候在公立学校体系中取消终身教职了。这项调查询问美国人他们对公立教育的现状有什么看法。调查设计的众多问题当中就有：现行政策应该怎样改变才能让公立教育体系变得更好？下面这一报道的结果显示了美国公众对于终身教职体制的严重不满：28%的调查对象支持现行的教师终身制，这种制度让教师有了铁饭碗很难失业；56%的调查对象认为获得终身教职的吃长俸的教师失去努力工作的动力。

这个调查是采用电话访问的方式在 2010 年 8 月进行

的，在全国范围内随机抽取 1 000 名 18 岁及以上的成人
进行了访问。

这个证据的证明效力怎么样？在这里这项研究是以非批判性
的方式展现出来的，我们看不到任何强势批判性思维的迹象。报
告没有提到任何有关这项研究的特别的长处或是不足，尽管它确
实也提供了有关抽样程序的一点粗略的细节，这样我们就可以推
断出它作为一个概括性结论的基础其价值之所在。没有任何迹象
显示这一研究有没有重复被人做过，对于提高公立教育质量所需
采取的具体措施这个更大范围内的研究，我们也不知道它合不合
适。我们同样不知道发表这些研究结果可能给做出这一论证的人
带来什么样的好处。

有没有什么过度概括的证据？样本相对而言还是足够大的，
而且据说也是随机抽取的，这是它的两个优点。但是这一研究是
利用电话进行访问的，因此我们无从得知是哪种挑选因素促使人
们选择参加这样的调查。同样，我们也不知道调查中是不是使用
了手机，因此受访者的参与度有可能会对"只用手机"的人构成
偏见。我们不可能判定样本的覆盖率，因为根本不知道电话回答
代表了普通大众的哪些方面。比如，有些地区、有些职业、有些
年龄段的人是否比其他人群抽取得更多？如果提供更多信息，介
绍这个调查的具体情况是怎样介绍和描述给接电话的听众，以及
那些自愿接受访谈的人的具体特点，将会对我们的评论更有帮助。
那些自愿参与电话访谈的人中有没有可能存在着一种偏见？这些
问题显示出我们应该要当心从这些结果当中得出的过度概括。

调查的问题本身有没有存在偏见？这个论证省略了两项研究

结果中使用的那些问题的具体措辞，也没有列出调查中所包含的其他问题，因此我们无法判断会有什么样的排序问题或者语境偏见呈现在问卷当中。"让教师有了铁饭碗很难失业"这样的句子突出了教师长俸制消极的一面，显示出所提的这个问题是一个暗含反对教师长俸制的问题。

我们已经对上述文章提出了足够的问题，让我们小心防范这个事实断言的普遍适用性。我们还想进一步细细查看全部的研究，同时依赖更多的相关研究，然后才能得出结论说这些断言是可以信赖的。

下面让我们看一看另一个迥乎不同的证据来源。

类比作为证据可靠吗

让我们仔细看一看下面这个简短论证的结构，尤其要注意支持结论的理由。

> 根本没必要害怕互联网会让报纸和杂志统统消失。不管怎么说，冷冻快餐的风行也并没有让下厨烧饭这个传统消失嘛。

> 作为教育工作者，早点清除掉问题学生并处理好他们带来的问题是很重要的，因为一枚臭鸡蛋往往会弄糟一整块鸡蛋饼。

两个论证都使用**类比**（analogy）作为证据，类比和我们前面评价过的所有证据类型都有所不同。乍一看，类比常常显得非常有说服力。但是类比往往会欺骗我们，我们需要问一声："我们怎么才能判断一个类比是不是好证据？"在接着讨论这个话题之前，请试着去判断一下上述两个论证的说服力怎么样。

你有没有注意到类比往往涉及比较，它们依赖相似度来作为主要类型的证据。推理的方式如下："我们对自己生活的世界中某件事（甲）所知甚多，而另一件让我们感兴趣的事（乙）看起来和甲在某些重要方面非常相似，如果这两件事在一个或多个方面非常相似，那么很可能它们在其他方面也会非常相似。"

举例来说，让人们变得抑郁不振时，很多心理医生会把这种抑郁行为当成一种精神疾病来医治，因为他们认为这种抑郁行为和身体患上疾病有很重要的相似之处，因此他们用抗抑郁的药物来治疗患者。他们把精神问题看得好像是身体失调的一个"症状"。如果他们将这种精神行为看成"正在经历生活中的一大难题"，他们很可能就会用不同的方法来医治这个病人。当我们因为朋友的极力推荐而选择买下一张 CD，我们也是在以相同的方式进行推理。我们这样推理是因为我们彼此之间非常相像，喜欢或不喜欢的东西有很多都是相同的，因此我们肯定也喜欢听同样的音乐。

一个论证用两件事物之间熟知的相似点作为基础，推导出关于其中一件事物的一个相对未知特征的结论，这样的论证就叫做类比论证（argument by analogy）。

类比既能激发深刻的见解同时又能蒙蔽我们。例如，类比在科学推理和法学推理中就极富成效。我们以对老鼠的研究为基础推导出关于人类的结论，这就是通过类比得出结论的论证。我们关于原子结构的思考有很多也都属于类比推理。当我们在一桩法律案件中做出判断，我们这个判断的基础就可以建立在这一案件和以前其他案件的相似性的基础之上。例如，限制财团资助政治候选人是否违反宪法中的保护言论自由和表达自由，当法官面对这个问题的时候，他们就要判定经济援助是不是可以和言论自由相类比，因此，他们也是在通过类比进行论证。这样的推理可能是极富洞见和说服力的。

识别和理解类比

具有人们熟知的某些特征的事物被用来帮助解释和它具有类似特征的事物，通过留意这一现象，你就可以识别类比论证。做类比论证时，我们做以下的假设：如果我们有兴趣要解释的事物与被拿来和它作比较的事物在很多重要方面都很相似，那么它在其他重要方面也会与那事物相似。

例如，我们可以想一想这个类比："重新学习几何就像重新骑自行车。一旦开始了以后，所有的一切都会自动扑面而来。"骑自行车这项活动有很多大家熟知的特征，它用于解释重新学习几何，这是一项不太为人所知的活动，和骑自行车有一些相似的特征，但并不完全相似。

我们都熟悉隔一段时间再骑自行车，"所有的一切都自动扑面而来"。因此这个类比用同样的方式解释了"重新学习几何"这项活动，认为一旦人们开始做几何题，怎么做这些题目的记忆就会瞬间回到这个人的脑海里。注意这里我们是从一个相似点开始，即两种活动都涉及学习一种技巧，并由此假设二者之间会有其他重要的相似点。

一旦我们理解了类比的本质和结构，我们就能识别出论证当中的类比了。当类比用于设定谈话的语气时，识别它们就变得尤其重要。这些类比通常都用来搭建一个论证的"框架"。要识别框架类比（framing analogies），先要寻找这样的对比：它不仅用于解释一个要点，同时还要影响讨论的方向。

例如，在 2004 年的美国总统选举中，伊拉克战争是个重大论题。战争的反对者使用了类比，把伊拉克战争比作越南战争。这个类比不仅旨在解释伊拉克发生的一切，而且还要引起人们对伊拉克战争的负面印象。相反，支持伊拉克战争的人也在使用类比，将伊拉克战争比作第二次世界大战。第二次世界大战比越南战争带有更多的正面色彩，所以这个类比用于重新建构讨论的框架，其表达方式对伊拉克战争更加有利。一定要经常寻找那些试图通过框架把人们的反应引向一个特定目标的比较。通过仔细评价框架类比，我们就可以避免一个潜在的具有欺骗性的类比的误导。

在论证中寻找类比的时候，框架类比并不是唯一需要我们加以防范的类比。我们在评价那些使用过度情绪化的比较进行的论证时也需要格外当心。例如，有些政治家在驳斥最近讨论的医保法案时将临终护理计划比作死亡专案小组，谁又会支持一个旨在号召成立死亡专案小组的法案呢？过度情绪化的类比遮蔽了论证中的真正论题，而且阻碍了实质性的对话。尽量识别包含了重要的情感内涵意义的那些比较，这样做才能避免受这些类比的欺骗。

评价类比

因为类比推理过于普遍，而且可能既具说服力又有迷惑性，你会发觉辨认出这样的推理并且知道如何系统地对其加以评价非常有用。要评价一个类比的质量，你需要关注以下两个因素。

（1）两个作比较的事物相同和相异的方式。

（2）相似点和不同点之间的关联。

提醒一句：任意两个事物之间你几乎总能找出一些相似点。因此，类比推理并不会仅仅因为有很多相似点就具有说服力。在强大的类比中，我们所比较的两件事物具有相关的共同点而缺乏相关的不同点。所有的类比都想要展示潜在的原则。**相关的共同点和不同点就是直接和类比所展示的那些潜在的原则相关的。**

让我们来看看下面这个通过类比所进行的论证的合理性。

> 我不会让自己养的狗在附近四处乱跑给我惹麻烦，所以我为什么不能对 16 岁的孩子强加一个八点钟的宵禁呢？我有责任保证女儿的安全，同样也有责任承担她晚上在外面做什么事所带来的后果。我的狗乖乖待在院子里，我想让女儿乖乖待在屋子里。这样，我就十分清楚他们都在做什么。

宠物和孩子之间最大的相似点就是两者都被认为不是拥有和成人那样完全权利和责任的完全行为责任人。而且，正如作者所说的那样，他有责任保证自己的小狗和女儿的安全。但是我们也注意到一些相关的不同点。狗只是宠物，缺乏高级的思考能力，不能分辨对错。但是女儿却是人，有认知能力，能分辨出对错，知道什么时候她不该做什么事，这会让她（或者她的父母）陷入麻烦。同时，作为一个人，她拥有某些特定的权利，应该获得相应的尊重，获得一定的自主权。因为女儿能做的事小狗做不了，这样的不同点在评价这个类比时就是相关的。这个类比因为没有考虑到上述这些区别，因此导致它不能为结论提供强有力的支撑。

　　另一个可能帮助你评价类比推理的策略就是找出可替代的类比来理解作者或演说者想要理解的同一个现象。这样的类比要么支持要么反驳从原来类比中推断出的结论。如果它们推翻了结论，那么它们就反映了一开始用类比进行推理所存在的问题。

　　要找到你自己的类比，有一种建设性的方法如下所述：

　　（1）识别你正在研究的情况的一些主要特征。

　　（2）尽量找出与上述情况有相同特征的其他你所熟悉的情况，开动脑筋，尽量想象出多种不同的情况。

　　（3）尽量判断熟悉的情况是否能为你提供关于不熟悉的情况的一些洞见。

　　比如说，当我们思考色情作品的时候，我们可以尽量思考一些其他的情况，这些情况下因为人们在某个特定情境中受到他人的对待的方式不同，或者因为人们观看的某些东西可能会引起他人的相关反应，这些都会导致人们一再认为某些事情是有损人格的。种族隔离、种族主义者或性别歧视者的笑话，或者就业歧视，这些情况是不是会涌上你的心头？断言玩暴力电脑游戏、观看动作片电影或者听重金属音乐会导致儿童的暴力倾向，这样的论证又怎么样？这些论证会不会引发我们思考色情文学的其他方式？

　　现在你应该能系统地评价本节一开始就提出的那两个简短的类比论证了。首先提一些你需要提的问题来辨认出一个类比论证。然后，再提一些问题来评价这个论证，寻找相关的相同点和不同点。通常情况下，相关的相同点比相关的不同点所占的比例越大，类比的效力也就越高。如果你找不到任何相关的不同点，同时你能找到有力的证据证明相关的相同点确确实实存在，这样的类比往往就特别有说服力。

对于本节一开始提到的两个类比例证，我们找出了一个相关的不同点削弱它们的论证效力。检查一下你的评价，看看它们和我们所列举的东西有没有重合。

（第一个例子）冷冻快餐和互联网都能更快捷、更容易地完成复杂而又耗时的任务。阅读杂志和报纸却不太可能提供烹饪美食大餐那样的乐趣。

（第二个例子）教室环境里学生之间的互动非常复杂。任意一个学生对班集体可能带来的影响并不能轻易确定，正如班集体对单个学生可能造成的影响也很难预测。相反，一枚臭鸡蛋却肯定会毁了任何用它作原料做成的食品。同样，把人类当成永远不变的物体，像臭鸡蛋那样不可能成长和改变，这也大有问题。

哄骗或者欺骗我们相信的类比符合我们对下面这个推理谬误的定义，这样的欺骗叫做**错误类比谬误**⊖（faulty analogy fallacy）。

从某种意义上说，所有类比都是错误的，因为它们做出了错误的假设：两样东西在一两个方面有相似之处，它们在其他重要方面也必然会有相似之处。也许你还是认为类比质量有高有低，有些类比经不起推敲，有些类比经得起考验，但即使最好的类比所提供的也只是暗示。因此，如果一个作者通过与另一件事作对比来得出一件事的结论，那么他就应该提供进一步的证据来支撑两者间最重要的相似点揭示出的具体原则。

⊖ 错误类比谬误指有人提出一个类比，其中却存在重要而又相关的不同点。

轮到你自己写时，可得吸取教训

为了帮助你在自己的写作中提高证据的含金量，我们提出以下建议。

当你自己做研究的时候，你应该不断观察并做好记录。在开始独立研究之前，研究者往往先建立一套程序或规则来指导研究的过程，这些程序的正式名称叫做方法论（methodology）。当你仔细敲定方法论的问题，你常常会抢占先机，避免出现我们在本章中讨论过的那些问题，比如说片面的问卷调查和抽样中存在的问题。

做研究的另一个重要方面就是保留精确的可随时查看的记录。我们的记忆是不可靠的，在我们努力回忆自己的所见所闻时常常倾向于出错。但是，科技却创造出一些非常有用的工具来帮助我们解决这一顾虑。你可以对采访或者观察过程进行录音或录像，还可以用网络做工具来进行调查。你应当一直记下观察、调查或者访谈的日期，而且你要将它们用电子手段或者用复印文本按顺序存档。读者应该能够核查你的研究结果，你甚至有可能为了其他项目而想重新查看一番这些研究结果。

最后，记住你的研究结果所存在的局限。我们在本章前面部分讨论过过度概括的风险。如果你将自己的研究和自己的写作任务结合在一起，这种担心尤其值得你加以注意。你的研究所揭示的问题只局限于你调查或者观察过的领域。如果你要展示你的研究结果有更为广泛和深远的涵盖面，你就应该用其他作者的发现来充实你的文章。

科学研究和互联网

现在是 21 世纪，我们怀疑你和像《辛普森一家》中的爸爸霍默·辛普森那样的技术傻瓜之间的差距要用光年来加以衡量，他大吃一惊地问："现在他们的电脑上都有互联网了？"如果你准备写作却不会利用互联网，那我们也会像霍默这样大吃一惊。互联网从根本上改变了我们大部分人收集证据的方式，让我们获得的信息呈现几何级数的增长。怎么样来平衡这种史无前例数量的到手的资料？我们不得不加倍小心地思考我们得到的证据。记住这些建议，可以帮助你解决这些随互联网调查而来的特殊难题。

在本章的前面部分，我们讨论过调查作者背景的重要性。我们现在要督促你判断一下利益不同可能带来的偏见或者冲突。为了估量一个权威观点的分量，我们首先得知道那个人的身份和可能存在的偏见。"洋葱头"（the Onion），一个流行的讽刺新闻网站，展示了互联网怎样让这个任务变得异常困难。在 2008 年一篇题为"促狭鬼网上发评论"的调侃文章里，作者引用了"促狭鬼"透露玄机时所说的话："今天晚上，我打算看看街谈巷议的那部视频，点击视频上方专为用户评论而预留的那个'回复'链接，然后草拟一个回复，我一定小心，要尽量一点脑筋都不动，同时保证都用大写字母，标点胡用一气……虽然我现在还不清楚我的评论具体包含哪些内容，但是我可以百分百肯定地说它一定傻到家了。"但愿所有网络上的意见提供者都可以这样直言不讳！

当我们把互联网资源添加到论证里的时候，调查资料来源的可信度就显得尤为重要。互联网常常被人比作大开发前的西部荒原。小镇上根本就没有治安官来确保大家尊敬的人只会出面发布真实而又公正的声明。以现在这种形式，互联网变得相对无拘无

束。随便什么人都能建一个网站或者博客。网站貌似值得信任而
实际上发表信息的人暗地里都有一个标准。让我们看看名为"老
好人"（The Yes Men）的社会活动家创建的一些网站，比如 http://
www.dowethics.com，他们创建的这个网站看上去听起来都真像那
么一回事。但是稍稍做些调查，浏览这个网站的人就会发现它根
本就不是由陶氏化学公司创建。实际上，这个网站是对这家化学
公司在环境方面的实践进行辛辣批判。虽然这样的例子颇为罕见，
但我们希望能警醒你，**一个网站的创建者很可能有一个政治的、
商业的甚至是艺术的标准，只是表面上看不出来。**

　　哪怕你判断出在这个网站上活动的作者是可信的，你也应该
多提一些问题。因为这个网站并没有一个治安官，即使可疑的或
者虚假的证据也很容易就能贴上去。美国喜剧频道的讽刺专家斯
蒂芬•科尔伯特（Stephen Colbert）想说明一下错误信息多么容易
就能贴到互联网上去。在他的脱口秀节目《科尔伯特报告》有一
集里，他编辑了互联网百科全书——维基百科。有五个小时，维
基百科的词条里显示说乔治•华盛顿根本没有蓄养过奴隶，非洲
大象的数量在过去的六个月里增长了三倍。（要看对这个真实问题
的另一个讽刺，请查看洋葱头网站 2002 年的文章"互联网上发
现的事实错误"，开篇就说"信息时代在本周一被狠狠击了一记闷
棍，有桩事实性错误在互联网上被人揭发"。）为了和这样的问题
作斗争，我们就要避免使用还没有注明具体来源的证据。花点时
间去查看一下资料的原始来源。当某一篇文章的片段被贴出来或
被人引用时，贴出文章片段的作者也许误解了原作者的意思，或
者是将此消息剥离了原来的语境加以使用。

来，做做思维体操

评价下面的文章，查看一下作者提供的证据的质量。

⊙ 第一篇

酒鬼生的孩子是不是也更容易成为酒鬼？为了回答这个问题，研究人员在匿名戒酒会（Alcoholics Anonymous）里抽取了451个人，看看其中多少人会说父母中的一个或者双双都是酒鬼。这项研究中调查的戒酒会的人现在都在参加俄亥俄州、密歇根州或者印第安纳州某处的戒酒会，负责当地戒酒会项目的人要求他们自愿填写这样的调查表。调查发现77%的调查对象将他们父母当中至少一个人归入酒鬼之列。这项研究还从上述那些州里面随机调查了451名宣称自己不酗酒的人。在这些酒瘾不大的人当中，23%的人将他们父母当中的至少一个人称为酒鬼。

⊙ 第二篇

为什么法律系的学生参加难度极大的考试不允许使用手提电脑？律师都能使用电脑来查阅棘手案件的相关信息啊。

⊙ 第三篇

美国最伟大的象征之一就是美国的国旗。过去很多案件虽然都把亵渎国旗的行为辩护为一些象征性的言论，但我要说："在这些亵渎国旗的行为中哪里看得到言论呢？"如果你要说美国的坏话，直接说出来好了，但是不要用你的行动来贬低美国的国旗。

为了让这面国旗飞扬，有多少美国人肝脑涂地啊。

那些想支持焚烧国旗或其他类似可鄙行为的人毕竟是少数。上个月，在得克萨斯州的达拉斯市一家饭店里，75人接收了调查，他们被问及是否支持这种没有爱国心的亵渎美国国旗的行为，而这种行为的目的就是为了表达某种形式的反美思想。有93%的调查对象回答说他们不喜欢亵渎美国国旗的行为。因此我们国家的立法者应当通过一份法律来保护美国国旗，禁止这类可怕的行为发生。

 给个提示

⊙ 第一篇

结论： 酒鬼的儿女比常人的子女更容易变成酒鬼。

理由： 比起常人来，更多的酒鬼报告说他们父母当中至少有
　　　　一个人酗酒。

注意这里所呈现的结果来自一份并没有说明其结果有多大代表性的研究。我们也不知道这个信息到底发表在什么地方，所以也无法评估这份研究在发表之前到底经过了怎样严格的评定。尽管如此，对这份研究我们还是可以问几个有用的问题。样本的数量非常大，可是它的覆盖面有问题。尽管有好几个州都被抽样，但这些州的戒酒会项目组的人又能在多大程度上代表全国的酒鬼呢？同样，戒酒会里面的酒鬼和那些没有寻求帮助的酒鬼相比又怎么样呢？也许样本存在的最大问题在于缺乏随机抽取的样本。虽然那些自封不酗酒的人是在三个州里面随机选取的，戒酒会里面的调查对象却是在自愿的基础上选择的。那些自告奋勇地谈论

自己父母的人是不是有别于那些不愿公开信息的人？如果自愿的人和不自愿的人之间有区别，那么这个样本选取就是片面的。

这种评级分等式的测量到底有多准确？首先，除了那些已经在戒酒会中回答这份调查表的人以外，文章并没有提供酒鬼的明确定义。此外，我们也没有被告知有什么具体标准提供给调查对象，据此将他们的父母界定为酒鬼。因此，我们也就无从确定判断某人到底是不是酒鬼的准确程度如何。同样存在问题的还有以下事实，选取所谓的对照组中不酗酒的人全是基于他们的自我评定。我们都知道做一个不酗酒的人是社会普遍认可的答案，而一旦大家知道这个普遍认可的答案时都会给出这个答案，这种回答问题的倾向也会对所谓的对照组里的取样过程造成偏见。关于这些评定标准的准确度如何，我们希望知道更详细一点的信息，然后我们才能对这一结论更有信心。

⊙第二篇

结论：参加考试的学生应该能使用手提电脑。

理由：学生参加有难度的考试用手提电脑找答案，就像律师可以用手提电脑寻找不同案件的答案一样。

首先我们要注意这个推理建立在比较的基础上。我们较熟悉的情况是，律师用电脑帮助他们处理棘手的案子，这被用来帮助我们更好地理解一件在某种程度上与之有些类似的事件：两种情况都涉及使用手提电脑查找难题的答案。但是，其中有个极大的不同之处，那就是参加考试的学生正在被测试他们本该不借助任何外部帮助而能顺利掌握的那些知识。这个差异足以让我们舍弃这个用来证明结论的类比。

Chapter
第 9 章

有没有替代原因

本章我们先从一个故事开始：

　　一个爱问为什么的孩子注意到太阳早上出现在天空，到夜里就不见了。不知道太阳夜里到底哪儿去了，孩子想方设法地要凑近看太阳落山。可是，不管怎么努力，他还是不知道太阳到底去哪儿了。后来，孩子又注意到他的保姆也是早上出现在家里，到夜里就不见了。有一天，他好奇地问保姆她晚上去哪儿了。保姆回答说："我回家去了。"孩子将保姆的来去和日夜的循环一联系，得出结论，保姆的离去导致太阳也一起回家了。

这个故事清楚地表明了使用证据过程中一个常见的问题：要想弄清楚一件事，就必须弄清楚引起这件事的原因。只有我们从一开始就理解了某件事的前因后果，我们才能选择一个明智的办法来避免某个问题的发生，或者促使某个特别正面的结果的出现。比如，我们想知道是什么引起了 2008 年的金融危机，或者，为什么过去的十年里肥胖的比例会有如此显著的上升。

这个故事同时还显示出在使用证据证明一件事引起另一件事发生的过程里常见的一个难题——**替代原因**（rival causes）的问题。那个虚构的小男孩对他观察到给出了问题的一个解释："太阳晚上下山是因为我的保姆回家了。"我们希望你能明白另一个对太阳为什么下山的非常可靠的解释。

尽管替代原因很少会像我们的故事里所表现的那样明显，但你还是经常会遇到专家提出一个假说来解释某件事或某个研究发现，而同时还有其他言之成理的假说同样也能解释它们。通常情况下，这些专家不会透露出替代原因给你，因为他们不想让你贬低他们那些断言的确凿无疑性；这样你就得自己去发掘。这样做特别有助于你去判断"证据的效力怎么样"。对于一些事件，存在各种各样言之成理的替代原因，这就削弱了我们对作者提供的原始原因的信心。

? 关键问题：有没有替代原因？

 小贴士：所谓替代原因是指一个言之成理的替代解释，可以说明为什么特定的结果会发生。

有果必有因

当你有足够的理由相信作者或演说者使用证据来证实关于某

件事的起因的一个断言的时候，你就需要去寻找一些替代原因。
"起因"这个词的意思是"引起，使……发生，或影响"。持论者
可以用很多种不同的方式为你指明因果的思维。下面我们仅列出
一些供你参考。

因果关系的指示词	
• 导致……	• 增加了……的可能
• 影响了……	• 决定了……
• 与……有关	• 与……有联系
• 阻止了……	• 有……的效果

这些对因果思维的暗示应该能帮助你认出持论者什么时候在
做一个因果断言。一旦你注意到这样的断言，一定要警惕存在替
代原因的可能性。

可能的原因不止一个

发现替代原因有助于我们更好地对自己所遇到的有因果关系
的结论进行回应，遇到这类结论的情形主要有三种：①我们日常
的人际交往；②以往或正在发生的世界大事；③科学研究的结果。

下面我们来看几个例子。

例 1　日常人际交往中的推理

大学生和她的朋友间的对话：都已经过了 24 小时了，
我男朋友还没有回我的短信。他肯定生我的气快气疯掉了。

替代原因：也许他忙着准备考试呢，又或者他忘记手机放在
什么地方了。

例 2　世界大事

2009 年 11 月 5 日下午，得克萨斯州大型军事基地胡德堡（Ford Hood）发生了一起大屠杀事件。报告上说，一名精神科医生纳迪尔·马利克·哈桑走进他位于士兵战备中心（Soldier Readiness Center）的工作场所，士兵通常在这里接受例行的医疗检查以后立即展开军事部署；接着，他坐下来点点头，然后站起身来一阵乱射，射死 13 人，射伤 30 人。目击者报告说他用了两把手枪，好像专门射杀穿制服的士兵。

如同经常发生在这样的暴力行为之后的情况，种种方法都用来解释这个行为，并且出现了有关其起因的种种争论，替代原因包括：

（1）心理压力过大的反应。这是由哈桑 11 月 28 日将要被部署到阿富汗所引发的。他每天都能看到回国士兵的悲惨状况，被这些惨痛的事实吓得胆战心惊、不能自己。根据他一个亲戚的说法："被派遣到国外简直是他最糟糕的噩梦。"

（2）工作场所发生的事情的过度反应。根据有些病人在精神治疗期间对他所做的陈述，这些病人应该被起诉犯下战争罪，而哈桑的上司拒绝处理他的请求。

（3）政治立场。哈桑表现出许多精神障碍的迹象，而且表现出支持恐怖主义的倾向，但为了保护民族多样性这些都被略过不提。

例 3　科学研究

最近一项研究显示母乳喂养对妈妈和宝宝都有好

处。研究发现一生当中哺乳期超过一年的女性绝经以后患心脏病或中风的危险要比从没有哺乳过的女性减少大约 10%，她们患糖尿病、高血压、胆固醇偏高等的风险也大大降低。这项研究发表在五月号的《美国妇产科》（*Obstetrics & Gynecology*）杂志上，分析了 139 681 名女性的数据，这些人都登记参加了妇女健康启动项目（Women's Health Initiative）—— 一项长期跟踪调查绝经后女性的国家级研究项目。

在这项研究当中，研究人员很可能以一个假设开始，那就是母乳喂养给母亲带来了健康上的好处，结果他发现了与他的假设相一致的证据。但是让我们来看看其他不同的，或者说替代原因，同样可以支持这个研究发现。

（1）哺乳的女性可能只是平均而言比那些没有哺乳过的女性过着更为健康的生活。比如，她们可能比那些没有哺乳的女性锻炼得更多，或者吃得更为多样化一点。

（2）选择不用母乳喂养孩子的女性可能在外工作更长的时间，可能因此引起更大的生活压力，这样会带来更多的健康问题。

（3）女性拒绝母乳喂养的原因也可能是她们本身比那些选择母乳喂养的女性有更多的健康问题。比如，那些服药的母亲或抽烟的母亲就可能会担心到母乳喂养的安全问题。

得到的教训

（1）很多类型的事件都可以通过各种相互替代的原因来加以解释。

（2）专家可以检查同一个证据而发现不同的原因对其加以解释。

（3）大部分持论者只给你那些他们喜欢的原因，独立思考的读者或者听众必须自己找出替代原因。

（4）想出替代原因是个创造性的过程，通常情况下，这类证据不会是一目了然的。

（5）最后，特定因果断言的确定性和言之成理的替代原因的数量正好成反比。因此，找到多个替代原因可以让批判性思考的人真正变得理智而谦逊。

在接下来的部分，我们将会探索以上这些教训对批判性思考的人的深层含义。

找到更多的替代原因

找出替代原因就好像做一名出色的侦探。当你发现替代原因可能会出现的种种情况，你就要问一下自己这些问题：

- 我能不能找到其他的方法来解读这个证据？
- 还有什么别的可能会引发这个行动或者导致这些发现？
- 如果我从另一个角度来看这个问题，哪些东西我可能会当成重要的原因？
- 如果这个解释是不正确的，还有什么别的解释可以说得通？

唯一的原因，还是原因之一

小学适龄儿童中抑郁症的发病率有了惊人的增长。脱口秀主持人开始采访各路专家引发这一现象的主要原因：是遗传造成的；是同龄人中间流行的取笑戏弄造成的；是父母疏忽大意造成的；

是电视新闻里太多的恐怖主义和战争造成的；是缺乏宗教信仰造成的；是压力过大造成的。专家们可能会宣称他们手中有答案，但其实他们不太可能知道答案。这是因为人们常犯的一个错误就是试图找出一件事的简单而又唯一的原因，而事实上这个原因是由许多共同起作用的原因联合起来的结果——这些原因共同起作用创造了事件发生所需要的整体环境。比如，很可能是许多原因结合在一起的独特作用促成了大屠杀的发生。

在那些涉及人类特征或者活动的情况下，多个原因共同起作用比单一原因起作用发生得更加频繁。最好的因果解释常常结合了多种原因，只有这些原因一起作用才能引起事件的发生。所以，针对脱口秀主持人的问题，专家给出的最佳答案就是："我们不知道这类事件发生的确切原因，但是我们可以推测出促成这类事件发生的多种可能的原因。"因此，在寻找替代原因时，我们必须要记住，**我们找出的任何一个单独的原因都极有可能是引起事件发生的其中一个原因，而不是其唯一的原因。**

如果持论者不能考虑到各种原因的复杂性，他们就犯了**过度简化因果关系谬误**⊖（causal oversimplication fallacy）。

在某种意义上，几乎所有的因果解释都会过度简化，因此，有些持论者所提供的解释即使并不包含某桩事件每一种可能的原因，你也得公平对待他们。但是，通过因果关系得出的结论应该包括足够多的因果因素，以说服你它们并不是太过简化，或者作者应该向你说明，他在结论中所强调的因果因素仅仅是一堆可能

⊖　过度简化因果关系谬误指依赖并不足以解释整个事件的具有因果关系的因素来解释一个事件，或者过分强调这些因素中的一个或多个因素的作用。

的原因当中的一个——只是其中一个原因，而不是唯一的原因。

组间差异的替代原因

研究人员想要发现某个事件的一个起因，最常见的方法之一就是进行组间比较，就像前面提到过的有关母乳喂养的那项研究那样。比如说，你会经常遇到下面这些组间比较的各种参照：

- 研究人员将一个实验组同一个控制组进行比较。
- 一组人接受甲种治疗，另一组人则没有接受这种治疗。
- 一组有学习障碍的人同一组没有学习障碍的人进行比较。

当研究人员发现两组比较对象之间有差异，他们常常得出结论，"这些不同点证明了我的假设"。比如说，一个研究人员可能发现一组背痛的病人接受一种新药的治疗后报告说他们的疼痛感减轻了，相比另一组没有接受新药治疗的背痛病人治疗效果要好得多。然后这个研究员就得出结论说这种新药的使用导致了治疗效果的不同。问题是研究组几乎总是在远远不止一个重要方面出现差异，因此研究组之间的差异常常伴随着多种原因。因此，当你看到持论者利用组间差异的发现来证明一个原因时，记住要常问一句："有没有可能存在替代原因也解释得了这种组间差异？"

让我们来看看下面这个研究，在组间进行比较，尽量找出可以替代的原因。

在最近的一项研究中，准备参加一场标准化考试的一部分学生去上了一门专教学生如何应付考试的特别课程，结果，比起那些仅通过复习与考试相关的几本书来准备同一场标准化考试的学生，他们的得分普遍要高。

我们需要问的问题是："除了他们准备考试的方式，这两组学生还有可能在哪些重要方面会有所不同？"你有没有想到两组学生之间可能存在以下两个重要不同点中的任意一个，而这就有可能解释了考试分数的不同？

- 学生经济背景的不同。也许这门课非常昂贵，只有有钱的学生才上得起。此外，也许付得起这个班学费的那部分学生在参加这场考试之前也能付得起更好的私立学校的学费，因此和那些没有上这个班的学生比起来，他们享有一个优越得多的起点。

- 动力的不同。也许报名参加培训的学生是那些真正想顺利通过考试的学生。只读几本书的学生也许对在标准化考试当中拿个像样的成绩并不太感兴趣。又或者，也许这些学生选择的学习方法建立在他们的学习效率上。在班级里学习效率更高的学生可能更有意向在标准化考试当中取得好成绩。

可能你还会想到其他重要的不同点。记住：**很多种因素可能引起研究组之间的差异**！

注意到组间比较的有些方法在最大限度地减少替代原因上要比其他方法优越很多，这是非常有帮助的。要让你去熟悉所有研究设计的优缺点超出了本书的范围，但是我们要鼓励你熟悉各种各样的研究设计，同时要帮你找出专家们一致认同的最好的组间设计——随机化实验设计（randomized experimental design），以便将替代原因减到最少。这种设计常被称作黄金标准，常常拿一个研究组组对一个实验性干预的反应，比如说药物治疗，与一个相同的研究组在没有干预的情况下如何反应进行比较。

这样的设计将替代原因最少化，因此你应该对由这样的研究方法支撑的因果结论更有信心。当你评价组间研究的结果时请找找有关这个设计的参考资料。

相关不能证明因果关系

我们生来就喜欢"见到"相互联系的事件，或者"相继发生"的事件，这些事件环环相扣互为因果。也就是说，我们得出如下结论，因为特征甲（如消耗的能量棒⊖的数量）与特征乙（如在一场体育运动当中的表现）之间有联系，就可以说甲引起了乙。下面再举一个按这种思路进行推理的例子。

> 你有没有注意到随着街舞音乐越来越流行，越来越少的年轻人去参加教堂活动了？这样的音乐正在引起年轻人道德品质的下滑。

如果我们这样思考问题，那么我们常常会大错特错。为什么？通常情况下有多种假设可以解释为什么甲乙两者相继发生。实际上，至少有四种不同的假设可以解释任何一种这样的关系。知道这些假设是什么可以帮助我们找到替代原因。让我们举一个研究的例子来分别看看它们是什么。

> 最近的一项研究报告指出"吸烟可抵抗流感"。研究人员分析了 525 个烟民，结果发现 67% 的烟民在过去三

⊖ 一种补充能量的棒状食品。

年里从没有得过一次流感，他们推测说香烟燃烧时产生的尼古丁杀死了感冒病毒，让它无法传播并引发疾病。

在觉得不舒服的人纷纷开始吸烟来预防感冒的侵袭之前，他们应该好好考虑下面四个对这项研究发现的可能解释。

解释一：甲是乙的一个起因。（吸烟确确实实杀死了感冒病毒）。

解释二：乙是甲的一个起因。（从来不受流感病毒侵扰的人更有可能会继续吸烟。）

解释三：甲和乙有关系是因为第三种因素——丙。（吸烟和不患流感因为第三种因素联系在了一起，比如说吸烟以后经常洗手阻碍了流感病毒的传播。）

解释四：甲和乙相互影响。（不常患感冒的人有吸烟的倾向，而吸烟有可能影响到一些潜在的疾病。）

记住：有相关并不能证明存在因果关系！

但是大多用来证明因果关系的证据仅仅建立在相关的基础之上。当你发现一个作者指出两者的特征之间有联系来支持他的一种假设，记住要问他一句："有没有其他原因也可以解释这种联系呢？"你可以用下面这个研究来检验一下自己的猜测。

最近一项研究报告指出"冰激凌会导致犯罪"。研究人员研究了美国十大城市过去五年冰激凌的销量和犯罪率的大小，结果发现随着冰激凌销量的增长，犯罪率也呈现出上升的趋势。他们由此推测吃冰激凌在人大脑里诱发一种化学反应，促进了人们的犯罪倾向。

我们希望你现在能明白，吃冰激凌的人根本无须担心他们马上就要以身试法变成罪犯。你能想到哪些替代原因？难道就没可能夏天逐渐升高的气温是冰激凌销量（甲）和犯罪率（乙）二者间产生联系的原因吗？

将因果关系和相关关系二者混淆起来，既可以理解，同时又异常危险。虽然原因确实先于结果出现，但先于结果出现的还有很多种其他因素，而其中很多不是引发结果的原因。

仔细分析上面提到的为什么事件之间可能会有联系的四种可能的解释，你现在应该能够辨认出两种常见的因果关系的推理谬误了：**因果混淆谬误**⊖（confusion of cause and effect fallacy）和**忽略常见原因谬误**⊖（neglect of common cause fallacy）：

"在这之后"不等于"因为这个"

在《体育画报》封面刊登他的大幅特写照片之后不久，芝加哥熊队的四分卫杰克·卡特勒（Jake Cutler）就在全国橄榄球联盟的锦标赛中早早受伤，结果熊队输给了绿湾包装工队，比分为31:17。是令人闻之色变的《体育画报》封面霉运（即一登上《体育画报》的封面霉运必定随之而来）再度光临，还是其他有因果关系的解释可以说得通这个四分卫的坏运气？我们认为你能看得出很多其他的替代原因可以解释卡特勒和熊队的失败，比如说包装工队的坚强防守。

⊖ 因果混淆谬误指将事件的起因和结果相混淆或是认不出两件事之间可能是相互影响的关系。

⊖ 忽略常见原因谬误指认不出两件事之间之所以有联系是因为常见的第三种因素在起作用。

通常我们想这样解释一桩特殊事件：因为乙事件发生在甲事件之后，所以甲事件引发了乙事件。这样的推理之所以会发生，是因为人类都有这种强烈的倾向，愿意相信如果两件事紧随前后发生，那么第一件事肯定导致了第二件事。

但是很多事件紧随在其他事件后面发生，却并不是由前面事件所引发的。如果我们错误地得出结论说第一件事引起第二件事是因为它发生在前，我们就犯了**事后归因谬误**[⊝]（全称为"post hoc, ergo propter hoc fallacy"，拉丁文的意思是"在这之后，所以是因为这个的谬误"。）这种推理方式是造成许多迷信的直接原因，例如前述的《体育画报》封面霉运之类。再比如，你可能在写出一篇极出色的论文的同时戴了某一顶帽子，所以现在你每到写论文就坚持非要戴同一顶帽子不可。

下面这个例子进一步阐释了这种推理方式所带来的问题。

> "我昨天找到的那个 25 分硬币肯定是我的幸运币。找到它以后，我有门特别难的功课考了个 A，最不喜欢的一门课也停了一次，而我最喜欢看的电影昨天晚上又在电视上播出了。"（也不管我为了准备考试埋头苦读，教授六岁的孩子最近得了流感，电视节目早在我找到硬币之前就已经定好了。）

你也许能够猜到，政治领导人和商界头面人物都喜欢使用事后归因这种论证，特别是当它对他们有利的时候。比如说，他们喜欢把自己走上领导岗位之后发生的一切好事都揽到自己头上，

⊝ 事后归因谬误指假设某件事乙是由另一件事甲所造成的，仅仅因为乙在时间上紧随在甲之后。

而发生的一切坏事则推到其他人头上。

记住：**一件事紧接在另一件事后面发生的这一发现本身并不能证明两者之间有因果关系，这可能只是一个巧合。**当你看到这种推理方式的时候，你要问你自己一声，"有没有替代原因能解释这个事件"和"除了一件事紧随在另一件事后面发生这个事实以外，还有没有什么其他过硬的证据"。

很多事件并非只有一种解释

是什么原因引起 2010 年冰岛火山的爆发？为什么脸谱网（Facebook）这么风行？为什么茶党在 2010 年议会选举中能这样呼风唤雨？

和我们对胡德堡大屠杀惨案存在的疑问一样，这些问题都在寻求单个历史事件的解释。首先，就像我们在胡德堡案件中所见到的那样，同一事件有多种不同版本的故事能说得通。其次，我们解释事件的方式深受各种社会力量和政治力量的影响，同时还受到与信仰有关的个人心理视角的影响。

比如说，男人所认为的滥用药物的原因就和女人不同，民主党所认为的贫困的成因就可能和共和党不同，生物学家所认为的抑郁症的病因也可能和心理学家或社会学家大不相同。

同样，有一种常见的偏见就是基本归因错误（fundamental attribution error），在这种错误里，我们在解释他人的行为时普遍高估了个人倾向的重要性而低估了环境因素的作用。也就是说，我们喜欢把别人行为的动因看成是来自其内部因素的作用（他们个人的性格特点），而不是来自外部因素的作用（环境的力量）。

因此，当发现有人偷窃，我们很可能将偷窃行为一下就看成小偷骨子里没廉耻或是没良心的结果。但是我们还应该考虑一下外部环境的作用，比如说贫困或者来自同龄人的压力。

还有一种常见的心理错误就是一开始就确定了少数几种可能的原因，然后再拿另外的信息（哪怕是不相干的信息）来证实这些既定的假设，而不是将这些信息另行考虑或是去推导出新的、也许更复杂的假设。我们都想简化这个世界，然而，解释活动往往需要抽丝剥茧。解释事件可不像流行谈话节目里那些访谈嘉宾经常说的那样简单轻松。

构建过去事件的各种原因还存在一个重大的难题，那就是很多证据依赖于人们的记忆，而大量的研究显示记忆往往会遭到极大的扭曲。

那我们怎么知道我们是不是有了某件事或某些事的合理解释呢？我们永远也不可能有百分之百的把握。但是通过问一些关键问题我们可以取得一些进步。

一定要当心，**千万不要贸然接受你所遇到的事件的第一个解释**。要寻找替代原因，努力去比较它们的可信度。要考虑采取其他不同视角，这样事件所涉及的利益方就可能会被考虑进去。阅读事件的多种不同版本来帮助你扩大见解的范围。我们必须接受这一事实，那就是有很多事件并不是只有一种解释。

哪个原因更合理

你想出来的替代原因越显得言之有理，你对刚开始见到的那个解释的信心就越打折扣，至少在进一步的证据被认真考虑之前是这样。作为一个会批判性思考的人，你就得竭尽所能地评估各种不同的解释中每种解释怎样契合当前的证据，要竭力对你自己的偏见保持敏感和警惕。

比较理由时，使用下列标准
• 逻辑上的合理性
• 和你所学其他知识之间的一致性
• 以前解释或预测事件的成功率

轮到你自己写时，可得吸取教训

因果论证对于作者而言是最难写的论证之一，你必须要筛查一大把可能的原因，有些原因货真价实，而另一些原因则能以假乱真。然后你还必须展示一种实实在在的因果关系。这个问题在美国公共电视台（PBS）《芝麻街》的一个经典桥段中得到了发挥，在这个桥段里木偶伯特发现阿尼把一根香蕉举到耳朵边。伯特问他为什么有这样奇怪的举动，阿尼回答说："听着，伯特，我是用这根香蕉来驱赶短吻鳄的。"更加不解的伯特指出芝麻街上压根儿就没有短吻鳄，阿尼骄傲地回答说："对啊，因为这根香蕉起大作用了，是不是啊，伯特？"阿尼错误地推断出这两个同时存在的事件相互之间有关系。

在你证明了一种关系的存在以后，接下来你必须要说明这种关系会按照你暗示的那种方向发展。也就是说，甲导致了乙，而不是乙导致了甲，或者是丙导致了甲和乙，或者完全是别的什么东西——在 J. K. 罗琳的《哈利·波特》系列著作中，作者重现了有关因果先后方向的经典的鸡和蛋之谜，"凤凰和火焰，哪个先有？"卢娜·洛夫古德，小说主角们的一个奇奇怪怪的朋友，回答得非常正确："一个圆圈根本就没有起点。"

最后，你也许想说明你一直聚焦的因果关系解释现象要优于其他替代原因。这整个的过程可能来势太猛。我们建议你将其拆成碎片一步步学习。第一步就要涉及批判性思维。

发掘潜在的原因

你开始因果关系写作的过程就像写其他论证一样。先选定一个自己感兴趣的特殊论题。在这种情况下，你寻找的论题主要探索的是因果关系。这样的论题可能明确提到"原因"这样的词语，比如说，"美国 AMC 有线电视台播放的《行尸走肉》（*The Walking Dead*）观众人数打破了有线电视台的收看记录，这是什么原因造成的？"或者，"是什么原因造成疾病对治疗有了一定的抵抗力？"同样，这个论题也可以明确使用"结果"这个词语，"勒布朗·詹姆斯决定离开这座城市前往迈阿密热火队效力，这对于克利夫兰的经济可能带来怎样的结果？"

一旦你选定了一个论题，下一步就是竭力思考这个问题可能存在的答案。这个过程可能变成一个富有创造力的过程。处理这个任务的一种最佳方法就是采取一个五岁淘气小孩爱问个不停的态度，一直不断地追问为什么。我们回到 AMC 的《行尸走肉》这部电视剧的例子来做一下说明。为什么《行尸走肉》能打破有线电视台的收视记录？嗯，也许是因为 18 ~ 49 岁的人喜欢看僵尸题材。采取五岁儿童的态度：他们为什么要喜欢僵尸题材？你怎么来回答这个问题？我们心目中的小年轻接下来有可能会问什么问题？"还有什么原因呢？"18 ~ 49 岁的人喜欢看动作片。"还有什么原因呢？"《行尸走肉》填补了一个任何一家别的电视台都不曾填补过的空白。"还有什么原因呢？"表演、剧本和导演都完美无缺。"还有什么原因呢？"你现在明白了，朋友、同学还有生活中的其他人在你开动脑筋的时候都可以帮助你。他们可能想出一个你从来就没有想到过的原因。

逐步缩小潜在原因的范围

一旦你开动脑筋想出来一个现象的足够多的原因或者结果，就可以开始着手研究了。你可以回到第 7 章和第 8 章去寻找指导，收集证据。你应该特别注意，你考虑要吸收到论证当中的文章是不是真的展现了一种因果关系。标题可能会误导读者，让他们以为一个研究证实了因果关系，而原来的研究人员并没有充分展现出这个事实。想一想 CNN 有线新闻网的标题"坚持吃奶油夹心蛋糕帮助营养学教授减掉 12 公斤体重"暗示了什么。吃奶油蛋糕能让人减肥！实际上，小心控制卡路里的摄入量可能使得那位教授减掉了 12 公斤，而不是奶油蛋糕的功劳。

你应该时时刻刻向读者证明你并没有忽略其他可选的解释。也许随着你的研究的展开，你发现貌似言之成理的解释实际上并不能被证据所证明。你应该老老实实地告诉读者。

----- 来，做做思维体操 -----

下面每个例子都提供了论证来证实一个因果关系的论断。请尽量为这些断言想出可以替代的原因。然后努力判断通过了解替代原因你在多大程度上削弱了作者原来的断言。

⊙第一篇

吃橙子可以战胜抑郁症。研究人员最近揭示每天吃两个橙子有助于缓解抑郁症。研究人员研究了 13 个有抑郁症感觉的病人。经过三周每天吃两个橙子的过程，13 人中有 9 人报告说他们的状况有所改善。研究人员猜想橙子里富含的柠檬酸和维生素 C 刺激了血清素的产生，有助于战胜抑郁症。

⊙第二篇

为什么公司高管要从自己的企业里偷钱呢？细细查看一下他的生活就可以找到清晰而又令人信服的答案。这个高管来自一个非常成功的家庭，父母都是医生，兄弟姐妹都是律师。作为公司高管，他挣的钱不如家人多。同时，这位高管坚信美国梦和以下思想：一个人只要努力工作最终总会成功。但是，不管他工作如何卖力，这位高管最近还是经历了许多生意上的挫败，包括在股市里赔掉相当一大笔钱。更糟糕的是，他的孩子需要做手术上支架。为了不让家人失望，成为一名成功人士，给家庭提供稳定的收入，这位高管不得不从自己的公司里偷钱。

⊙第三篇

坚持锻炼能保护人们在寒冷和流感季节不受疾病的侵扰。根据最近一项针对 1 000 名成人志愿者为时三个月的研究，那些一周至少锻炼五次的人比那些每周锻炼不到一天的人生病的时间要减少 43%。

给个提示

⊙第一篇

结论：吃橙子有助于缓解抑郁症。

理由：13 个病人中有 9 个吃橙子的人抑郁症的症状有所改善。

除了吃橙子之外，还有没有别的东西可以解释这个变化呢？当然有，研究者没有排除很多明显的别的解释。比如，病人有可能期望自己早日康复，这样的期盼导致了自己感觉变好。同样，他们知道吃橙子的目的，一个可替代的原因是他们尽量讨好研究人员，报告说他们感觉好多了。我们还可以假设三周治疗期间有外部事件引起了这种变化。比如，也许在三周治疗期间，天气特别好，这些人比平常花了更多的时间进行户外锻炼，这样也有助于缓解抑郁症症状。还有一种可能就是这些人患的是某种形式的抑郁症，他们在短期之内可以自然治愈。你还能想到其他可以替代的原因吗？

⊙第二篇

结论：高管从自己的公司偷钱是为了和自己家人竞争，显示他不是失败者，同时为了养家糊口。

理由：高管很可能关心上面提到的所有因素。

有可能上面所有的因素在导致公司高管从自己公司偷钱方面都很重要。但是社会上还有很多其他人士肩上也背负同样的压力，他们却没有诉诸非法手段来获得钱财。有没有其他可能的原因导致这种行为？就像胡德堡大屠杀的例子一样，可能存在多种言之成理的解释。比如说，我们想要多了解他的童年，了解他生活中最近发生的事件。这个公司高管最近有没有和老板吵架？他有没有服药？他最近有没有承受高度压力的经历？他有没有偷窃的历史？通过事后观察，我们常常可以发现儿童时期的经历作为成人行为的原因总是可以说得通。但在我们做出因果结论之前，必须要寻找更多证据来证明是一系列事件引起了另一系列事件的发生，而不是仅仅说出一系列事件先于另一系列事件发生这样一个简单的事实。我们还必须小心不要成为基本归因错误的牺牲品，要确保自己考虑外部因素，同时也要考虑内在因素。

Chapter

第 10 章

数据有没有欺骗性

下面这段话能在多大程度上说服你?

> 新闻简报: 经济获得了长足发展。上个月我们的失
> 业率就下降了一个百分点。

上面的推理压根儿就没法打动你。这个论证用数据欺骗了
我们!

作者提出的证据当中最为常见的一种就是"统计数据"。你
可能经常听到人们使用下面这句话来帮助支撑他们的论证:"我有
统计数据来证明。"我们使用统计数据(通常以不合适的方式)来
揭示战争伤亡人数的增加或减少,来提醒公众注意发病率的变化,
来估量一种新产品的销量,来判断某一只股票的赚钱能力,来决
定下一张牌是 A 的概率,来衡量不同大学的毕业率,来记录不同
年龄段的人们性生活的频率,来为很多其他问题提供数据。

统计数据就是用数字表达的证据。这样的证据可能看起来非常动人，因为数字让证据显得非常具有科学性，非常精确，似乎它就代表了"事实"。但是，统计数据能，而且经常会，撒谎！它们并不必然就证明了它们想要证明的一切。

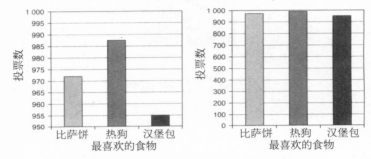

两种不同的提供数据的方式有可能会产生欺骗性

小贴士：统计数据可能而且经常骗人。它们并不必然就证明表面上想要证明的一切。

作为一个批判性思考的人，你应该努力辨别出错误的统计数据式的推理。在几个较短的段落中，我们无法向你全面展示人们用"统计数据帮忙撒谎"的所有不同方法。但是，本章我们将为你提供一些基本策略，你可以用来发现这些欺骗的小伎俩。同时，它还通过展示许多作者错误使用统计数据来当证据的最常见的方法，提醒你注意数据推理当中存在的缺陷。

? 关键问题：统计数据有没有欺骗你？

不知来历的和带有偏见的数据

最近一个新闻标题：40% 的大学生饱受抑郁症的折磨！

在你情绪低落的时候你该不该过分担心呢？你又怎么知道自己可以相信这样的统计数据？

任何统计数据都要求将发生在某地的某些事件界定并准确识别出来，这常常是一项非常艰巨的任务。因此，要找出欺骗性的数据，第一个策略就是尽量找到足够多的关于这些数据是如何采集的信息。我们能不能准确地知道美国到底有多少人在报税单上做过手脚，多少人有过婚前性行为，多少人开车打手机，或多少人使用违禁药品？如果你想象一下做这些统计的细枝末节，我们怀疑你的答案会是"不太可能"。为什么？因为要为特定的目标而得到精确的数据，你常常会遇到各种各样的拦路虎和绊脚石，其中包括关键词语的模棱两可，识别相关人员或事件的种种困难，人们不愿意提供真实信息，人们不能报告各种事件，还有观察事件的种种身体上的障碍等。因此，统计数据往往只能是基于事实做出的一些估计。这些估计有时候很有用，但它们也可能有欺骗性。记住总要问一句，"作者是怎样得出这个估计的？"你得到的细节越多越好。

不知来历的统计数据最常见的一个用处就是用大量的数字给别人加深印象或让别人肃然起敬，这些呈现出来的数字的精确性常常会让人怀疑。比如，大量的数字可能被用来提醒公众注意日见增长的身体失调或精神失常的发生率，例如癌症、饮食异常或幼年孤僻症等。如果我们能知道这些数据确定的过程是如何仔细，我们肯定会更加深受这些数据的感染。比如一直以来人们都在努力统计大学生抑郁症发病率的准确数据，但是不知来历的数据问题已经成为影响统计的一个主要因素，研究报上来的发病率存在 10% ~ 40% 的跨度。所以，本章一开始提到的那份研究如果让你觉得过度惊慌的话，你未免显得有些杯弓蛇影。记住 **：在对这样的数据做出反应之前，我们先要问一声它们是怎么得来的。**

令人困惑的平均值

请检查下面的陈述：

（1）快速致富的一个方法就是做一名职业足球队员，2010 年国家足球联盟球星的**平均**收入是 180 万美元。

（2）在大学里要取得好成绩学生需要付出的努力是越来越少了。根据最近一项调查，大学生每周**平均**花在学习上的时间是 12.8 小时，和 20 年前的大学生相比大概只有他们的一半。

两个例子当中都使用了"平均"这个词。但是实际上却有 3 种不同的方法来测定平均值，而且在大多数情况下，每种方法都会给出不同的数值。

第一种方法是把所有数值相加然后用总数除以相加的数值个数。这种方法所得的结果就是**平均数**（mean）。第二种方法是将所有数值从高到低排列，然后找到位于最中间的数值，这个中间数值就是**中位数**（median）。有一半的数值在中位数之上，另一半在中位数之下。第三种方法是将所有数值排列好，计算每个不同数

值出现的次数或每个不同数值范围出现的次数，出现频率最高的
数值就叫作**众数**（mode），这是第三种平均值。

作者谈论的是平均数、中位数还是众数，将会产生很大的区别。

平均值的种类及计算方法
• 平均数：把所有数值相加然后用总数除以相加的数值个数
• 中位数：将所有数值从高到低排列然后找到位于最中间的数值
• 众数：计算不同数值出现的次数然后找出出现频率最高的数值

第一个例子当中取哪种平均值最能说明问题？考虑一下职业
化运动当中大牌球星的收入与那些一般球员的收入对比。最大牌
的球星，比如说橄榄球明星四分卫，收入比球队里大部分其他球
员要高出很多。事实上，2010 年度薪酬最高的橄榄球运动员岁
入超过 1 500 万美元——远远高于平均值。这样高的收入将会急
剧拉高平均数，但是对于中位数或众数而言则影响不大。举例来
说，国家橄榄球联盟的球员 2010 年度工资平均数是 180 万美元，
但是其工资中位数却只有 77 万美元。因此，在大部分职业运动
当中，平均数工资比中位数工资或者众数工资要高出很多。所
以，如果有人想让工资水平显得非常非常高，他就会选择平均数
作为平均值。

现在让我们来仔细看看第二个例子。如果这里列举的平均值
要么是中位数要么是众数，我们有可能就高估了平均的学习时间。
有些学生很可能花很多时间学习，比如一周 30 或 40 个小时，这
样就提高了平均数的数值但是却不影响中位数或者众数的数值。
学习时间的众数可能花远低于或者远高于中位数，主要取决于花
多长时间学习对学生而言最为常见。

当你见到平均值的时候，一定要记得问一下："是平均数、中

位数还是众数，选择的平均值不同会不会产生什么影响？"要回答这个问题，请想一想平均值的不同含义会对信息的意义造成怎样的改变。

不仅判断一个平均值是平均数、中位数还是众数非常重要，判定最小数值和最大数值之间的差距（即全距（range））以及每个数值出现的频率（数值分布），常常也显得异常重要。

下面我们来看一个例子，在这个例子里全距和数值分布就显得非常重要。

> 医生对 20 岁的病人说：你所患癌症的预后不容乐观。患同样癌症的病人存活时间的中位数是十个月。所以剩下来的这几个月你想做什么就做点什么吧，不必有什么顾虑了。

病人听到医生给出这样的诊断结果，他对自己的未来该做出怎样可怕的展望呢？首先，我们确定的是获得这种诊断的病人有一半不到十个月就去世了，还有一半人存活时间超过了十个月。但是我们并不知道活下来的那部分人的存活时间的全距和数值分布。这些可能显示出有些人甚至是很多人活得远远超过了十个月时间。其中有些人甚至很多人可能活到 80 岁以上呢！知道病人存活时间的完整分布可能会改变这名癌症患者对未来的看法。

一般来说，病人应该考虑国内不同的医院对于他的疾病的存活率是不是有不同的全距和数值分布。这样他就应该考虑选择在那家有最乐观的数值分布的医院就诊。

当我们遇到平均数的时候，**了解全距和数值分布的一个总体好处就是这样做会提醒你大多数人或事并不正好符合平均值，与**

平均值差异极大的结果也在意料之中。例如，在有些健康议案中许多旨在改善我们健康状况的医疗干预措施事先都会给我们看一看其平均获益情况，尽管这项研究中的许多人获益极少或压根就没有获益，甚至有些人会不同程度地受损。

把一个结论改头换面包装成另一个结论

有些数据确实能证明一件事，而持论者往往宣称这些数据证明了另一件性质完全不同的事，这时候他们往往在欺骗我们。这些数据压根儿就证明不了它们用来证明的一切！我们有两种策略可以帮你找出这类欺骗。

一个策略就是对持论者提供的数据视而不见，然后问自己："什么样的统计数据作为证据在证明他的结论方面会有帮助？"然后，将"所需"的数据和所给出的数据进行比较。如果两者之间难以吻合，你可能就发现了一个数据上的欺骗。下面的例子为你提供一个机会来应用这种策略。

> 有种新的减肥药"肥脂畏"（Fatsaway）在帮助肥胖人士减肥方面卓有成效。在临床试验中，服用此药的100例人员当中仅有6例报告有药物副作用。生产这种药物的公司说："94%的人服用'肥脂畏'之后有了显著的积极效果，因此我们可以放心地说，我们的药物是市场上疗效最为显著的减肥类药品之一。"

生产这种药物的公司怎样才能证明其结论——"肥脂畏"作为一种减肥药物能够达到94%的疗效？难道它不应该做一项研

究，看多少人服用此药以后体重有所减轻，看这些人体重到底减轻了多少？相反，这家医药公司呈报的数据却是关于副作用出现的频率，他们假定，如果这药物没有出现副作用，那么它帮助人们减肥就会效果明显。这家公司证明了一件事（相对较少的人服用此药以后报告说有副作用），却拿它作为另一件事的结论（"肥脂畏"帮助人们减肥效果显著）。从这个例子当中得到的一个重要教训就是，我们要加倍注意统计数据的措辞和结论的措辞，看看二者是不是指的同一件事情。如果不是，作者或演说者就很可能是在用数据说谎。

知道什么样的数据证据应该用于支持一个结论是很难的。因此，另一个策略就是不急于去看作者的结论而是先非常细心地检查作者的数据，然后问自己："从这些数据我们可以得出什么合适的结论？"然后拿你的结论和作者的结论相比较。用这个策略来检验一下下面这个例子。

大约半数的美国人欺骗了自己的另一半。研究人员最近在一家购物中心采访了很多人。在接受采访的 75 人中，有 36 人坦承他们有朋友曾承认欺骗过自己的约会对象。

你有没有质疑这个例子一开始得出的结论？大约一半人在某个特定地点承认自己有朋友告诉过自己他们在和他人约会或交往过程中至少有过一次的欺骗行为。你有没有看出数据所证明的东西和作者的结论之间存在巨大差异？如果你看出来了，那你就发现了这位作者是如何利用数据来进行撒谎欺骗的。

省略数据也是欺骗

统计数据经常因为不完整而欺骗我们。因此，另一个在数据推理中找到缺陷非常有用的策略就是问一问："在你判断数据的影响力之前还需要哪些进一步的信息？"让我们先看看下面的例子，诠释一下这个问题所派的用场。

（1）大公司正在将市中心地带的小镇气息破坏殆尽。就在去年，城里的大公司的数目增长了 75%。

（2）尽管大家都挺害怕，但跳伞运动其实比其他活动比如说驾驶汽车要安全得多。拿某一个月的时间来做比较，这段时间里，洛杉矶有 176 人死于车祸，而死于跳伞事故的却只有 3 人。

（3）艾滋病预防项目需要较大的资金投入。2009 年，有 54 000 人饱受艾滋病的折磨。

第一个例子当中，**75%** 这个数字显得很吸引眼球。但是缺少了一些东西：这一百分比所依据的绝对数值。假如我们知道这种增长是从 4 家增长到 7 家，而不是从 12 家增长到 21 家，我们还会觉得如此惊讶吗？在第二个例子里，我们倒是有数字了，但是却不知道比率。难道我们不需要知道这些数字对参加这两种活动的人数的百分比而言有什么意义吗？不管怎样，参加跳伞活动的总人数比起驾车的总人数而言简直是微不足道。

第三个例子展示了我们社会当中常见的一个事实，通过聚焦全国范围内受病痛折磨的总人数来企图引起公众对某个社会问题的关注。尽管这显然是个亟待解决的问题，但当我们将 **54 000** 除以美国的大概总人口数 3 亿，我们只得到一个大概 2% 的数值。

当你遇到听起来让人动心的数字或者百分比，一定要当心！
你可能需要其他信息来判定这些数字到底有多让人动心！当只有绝对数值摆在眼前的时候，问一问百分比是不是有可能帮你做出更好的判断；当只有百分比出现在眼前的时候，问一问是不是绝对数值会丰富它们的含义。

另一个重要的有可能缺失掉的信息类型是相对比较（relevant comparisons）。问一下这个问题常常很管用："这是和……相比较？"

下面每个陈述都展现了要求做比较会给统计数据带来的好处。

- 美杜莎发胶，现在效果要好 50%。
- 运动型轿车很危险，不该让它们上路行驶。2006 年，有 4 650 名车主死于运动型轿车事故。很显然，应该采取行动才行。
- 电影预算这些年简直是骇人听闻。看看《哈利·波特与火焰杯》：这部电影的预算是 308 000 000 美元！
- 我们的文化正在日益向弱智化靠拢，更多的证据包含在以下事实当中：最近《纽约时报》一篇文章说接受采访的年轻人中知道美国内战哪一年开始的人还不到一半。

说到第一个表述，我们难道不需要问一问："比什么要好 50%？"是其他没效果的发胶？还是美杜莎以前的发胶产品？第二个例子，难道你不想知道如果不涉及运动型轿车，这些死亡数字中本可以避免掉的有多少，其他不含运动型轿车的机动车恶性事故又有多少，和它们涉及的死亡数字相比上路行驶的运动型轿车到底有多少，和运动型轿车发生的死亡数字比较运动型轿车行驶的里程数有多少？谈到第三个例子，一部电影的预算和其他电影的预算之间有怎样的联系，是这部电影特别不同寻常，还是它代表了整个的电影产业？谈到美国内战的日期方面的知识，这样的调查结果和 20 年前类似的调查得出的结果比起来又怎么样？

当你遇到数据的时候，一定要问一句："有什么相关的信息缺失了？"

表述方式不同效果更加动人

每天吃太多高脂肪含量的肉食品使患肠癌的概率增加了 25%。

新的癌症药物的效果令人失望，数据显示乳腺癌减少的绝对值只有 0.5%。

统计数据在论证中的常见用法（尤其是关于健康风险类的论证）就是报告作为某种医疗干预后的风险降低情况。这里的报告很可能具有欺骗性。同样数量的风险减低可以用多种不同的形式报告，例如用相对方式而不是绝对方式进行表述，这些不同形式可以极大影响到我们对于实际的风险降低数值的认识。

想象一个 65 岁的女性刚患了中风，和她的医生一起商量治疗的方法。医生引用了三种治疗方法的相关统计数据：

（1）甲种疗法可以减少 33% 的未来再次患中风的可能；

（2）乙种疗法可以减少 3% 的绝对风险，从 6% 降低到 3%；

（3）丙种疗法，有 94% 的女性在十年里不会再患第二次中风，而没有接受这种疗法的病人有 91% 的人十年里不再患中风。

她该选择哪种疗法呢？我们猜想要是你的话，你会选择第一种治疗方法。但是所有这些选择都指向同样的治疗效果，只不过是以不同的方式来表达风险而已。第一种（33%）是相对危险度降低率，如果一种疗法将心脏病的风险从 100 例中的 9 例减少到 100 例中的 6 例，风险就降低了 1/3，或者 33%，也就是 9 减去 6 再除以 9，或者说不治疗的风险减去治疗的风险再除以不治疗的风险。但是绝对风险的变化，从 9% 到 6%，却只有区区 3%，而疗效好的结果只是从 91 提升到 94，也仅仅只是提高了 3 个百分点。关键问题是以相对方式，而不是绝对方式来表达风险减低值，可以让疗效显得比实际情况好得多，而当一种疗法其好处是以相对方式而不是以绝对方式表达时，个人更愿意使用这种疗法。正如你所期望的那样，医药公司通常在他们的广告中使用相对风险，媒体报道也倾向于关注相对风险。

在你知道了肠癌绝对发病率是从 4% 增长到 5%，癌症绝对发病率是从 1% 降低到 0.5% 以后，现在你明白了该怎样给本部分一开始提到的那两个事关风险的例子提供不同的答案了吧。当你遇到使用这样的统计数字的论证，一定要判断这些风险降低是怎样判定的，如果用绝对方式进行表达这些结果会有怎样的不同，会变得更加动人还是褪色不少。

轮到你自己写时，可得吸取教训

我们希望你将统计数字吸纳到自己的写作中。如果运用得当，它们会是极有价值的工具。它们帮助我们描述和理解那些不同的趋势和类型。它们可以帮助我们进行预测。统计数据还可以强化我们的论证。即便这样，本章也说明了在论证中引用数据可能存在的一些非常严重的风险。对于没有受过训练的读者而言，统计数据看起来像是权威事实，但是你知道事实是多么容易被人操纵。作为一个关心批判性思维的写作者，你面临着一个重要的平衡举动。你必须尽量避免欺骗手法，但同时以一种明白易懂的方式呈现出那些常常是复杂万分的数据。

你有没有注意到看起来最容易理解的数据常常都是质量最低劣的？想一想《美丽佳人》（*Marie Claire*）、《今日美国》和《纽约时报》杂志上的那些读者调查，或者是亚马逊网站或在线旅游网站（Priceline）上的用户调查。这些统计数字当然是容易阅读了。比如说，《时代周刊》杂志报道了 2010 年年度人物评选的读者投票情况："维基解密的朱利安·阿桑奇狂揽 382 020 票，轻轻松松拔得头筹。比银牌获得者，土耳其总理埃尔多安领先 148 383 票。"又如，2010 年 12 月，亚马逊网站 152 名评论员当中有 101 人认为《欢乐合唱团：第一季完整版》（Glee: The Complete First Season）是五星级产品。这些数据看上去是不是像老生常谈？现在你更加明白了。你知道这些事实缺少了一些相关信息。我们不知道一个人可以为年度人物投多少次票。我们知道这两个样本里哪个都不是随机抽取的——这个投票是基于网络的，所以很可能它排除了很多年长的、不懂电脑技术的读者，而是有利于那些更年轻的、精于电脑的读者。

要想小心对待带有数据的论证，你可能要从论证中专门拿出点时间来解释这些数据是怎么产生的，数据的含义，以及数据存在的局限。这样做会增加你在读者中的可信度。你在向他们表明你并不是在偷偷摸摸地向他们灌输东西。你同时也在鼓励他们成为批判性思考的人，让他们自己对数据的质量得出结论。你可以决定将这些解释包含在论证的文本当中，或者你可以选择将它们放到脚注、尾注或者附录里面，这个决定很可能要基于你的研究领域的通行做法和你写作的正式程度。

评估数据的一些线索

（1）尽量找出如何获得数据的相关信息，越多越好。问一下："这位作者或演说者是怎么知道的？"持论者想要用大量的数字来让你动心或者让你惊心的时候，你尤其要警惕。

（2）要对描述的平均值的类型感到好奇，分析一下知道事件的全距和数值分布是不是会对数据多了一个有用的视角。

（3）数据使用者拿一件事的结论来证明另一件事时你要特别当心。

（4）先不去看作者或演说者使用的数据，把所需的数据证据和实际提供的数据做比较。

（5）从数据中得出你自己的结论。如果这结论和作者或演说者的结论不一致，那么很可能其中有什么地方出错了。

（6）判断有什么信息缺失了。对于误导性的数字和百分比以及缺失的比较，你要特别当心。

————————————————————————— 来，做做思维体操 —————————————————————————

⚠ 关键问题：统计数据有没有欺骗你？

在下列每篇练习文章里，请你找出证据的不当之处。

⊙ **第一篇**

政府部门职位的竞选和角逐变得越来越失控。越来越多的选举中金钱开始起到关键作用。现在赢得普通的参议院席位平均花在竞选活动中的支出就要超过 800 万美元，而典型的总统竞选人则要花费超过 3 亿美元。现在是时候来点实质性的改变了，因为我们不能只让那些政客通过广告宣传的大笔花费来购买他们的职位。

⊙ **第二篇**

家庭正变成越来越危险的栖身之所。和家庭相关的伤害案件的数量正在直线上升。2000 年，大约有 2 300 名 14 岁及 14 岁以下的儿童死于家庭中发生的事故。同时，每年有 4 700 000 人被狗咬。更糟糕的是，哪怕电视机这个相对安全的家用电器也开始变成危险源。事实上，每年有 42 000 人被电视机或者电视机架所误伤。既然家里发生这么多的事故，也许人们需要花更多的时间待在户外。

⊙ **第三篇**

攻击型的心理咨询减少了部队的精神问题。最近在一场重要的战斗冲锋期间由部队开展的一项针对 10 000 名士兵的研究显示，更具攻击性的心理咨询手段使士兵们企图自杀的危险行为减少了超过 50%。

222

 给个提示

⊙ 第一篇

结论：有必要改变对政府部门职位的竞选角逐。

理由：政客们花在竞选活动上的钱太多了。普通的参议员在竞选活动中花费超过 800 万美元。总统候选人花费超过 3 亿美元来进行竞选活动。

竞选活动是不是太费钱了？"平均"和"典型"这样的词应该提醒我们注意其潜在的欺骗性。我们需要了解用来计算这些数据的平均值的种类。是平均数、中位数还是众数？比如，在参议院席位竞选数据中使用平均数有可能会得出一个歪曲的数字，因为某些参议员，尤其是那些势均力敌的参议员在竞选中作为候选人花费的钱确实数额巨大。但是，由于很多参议员基本上是必定会重新当选，这些竞选活动很可能花费并不大。我们知道只有极小一部分参议员的竞选活动双方实力极其接近。因此，如果用平均数来代表平均值，多数人可能不会花费报道中提到的那么多钱。换句话来说，如果用中位数或者众数就可能表现出低得多的数值。同样，知道数值分布和全距也会让你更加了解你所关心的竞选活动的花费到底有多少。

附带提一句，重要的参照数据也缺失了。竞选活动的花费和过去类似的活动花费比起来怎么样？其他政府部门的竞选花费又怎么样？很可能竞选活动的花费近几年实际上一直在走下坡路。

⊙ 第二篇

结论：花时间待在家里正变得越来越危险。

理由：和家庭相关的伤害正在日渐增多。

证据：一年期间，2 300 名儿童死于家中发生的事故。

每年有 4 700 000 人被狗咬。

每年有 42 000 人被电视弄伤。

要评价这个论证，我们首先需要确定什么样的证据拿来回答下面的问题最为合适，"现在的家里比起从前来是不是更加不安全了？"在我们看来，用来回答这个问题的最佳数据就是拿现在每年家中重大事故的发生率和过去几年的事故发生率做比较。同样有关的是每小时在家里发生的伤害事件的数量和过去几年同样的数据之间的对比。很可能更多家庭伤害的发生是因为人们比过去花在家里的时间增加了很多。如果他们待在家里的时间更多，在家中发生伤害的数字相应增加，这就显得符合逻辑了。

这个论证当中提供的证据很可疑，有下面几点理由。第一，关于家庭伤害的总数作者根本没有提供任何数字。我们知道作者说它们在直线上升，但是根本没有证据表明这样的上升。第二，有关儿童在家庭事故当中丧生的具体细节也没有披露。这个数据和过去儿童在家中身亡的数据相比又怎么样？是什么类型的事故导致这些儿童的死亡？第三，狗咬的数字具有欺骗性。我们根本不知道这些狗咬事件是不是发生在家中。更重要的是，狗咬人的数字好像不能引导我们得出结论说待在家里是不安全的。第四，有关电视机的数据也很可疑。作者是从哪里得到这些动人的数据的？同样，这些伤害中大部分到底伤得有多严重？

Chapter
第 11 章

有什么重要信息被省略了

下面这个广告多么让人难以抗拒：

> 试试"欢乐时光"（HappyTyme ⊖），它是医嘱治疗
> 抑郁症的头号特效药。

这广告的目的当然是劝说你购买更多的指定产品。就算你的批判性思维能力还没有发展到现在的水平，你也知道这类广告所说的绝不能全部当真。比如，如果这家"欢乐时光"制药公司比其他制药公司给了心理治疗师更大的折扣，给心理治疗师提供更多的免费试用药，或者是给那些使用他们药品的治疗师提供豪华游轮旅游，你是不太可能在广告中看到此类信息的。你看不到这些信息，但是它们对于你决定吃什么药来治疗抑郁症却有很大的关系。

批判性思考的人追求独立思考的力量时，如果他们做决定的

⊖　这是一个合成词，治疗抑郁症的药品名称。

基础是极为有限的一点信息，他们也就无能为力了。几乎所有的结论或者产品都有一些正面的特点。那些只想告诉我们他们想让我们知道的信息的人，就会告诉我们所有这些正面的特点，而且是不厌其详，活灵活现。但是他们会隐藏那些结论的负面因素。因此，真正的自主思考需要我们坚持不懈地寻找作者到底隐瞒了什么信息，不论其是无心省略还是有意隐瞒。

通过追问前面几章里我们学习的那些问题，诸如那些涉及歧义、假设和证据之类的问题，你就能找出许多非常重要的省略信息。本章尽量让你对那些没有明说出来的信息的重要性变得更加敏感，以此作为重要提示来提醒我们，如果我们仅仅评价那些摆在面上的信息，那么我们仅仅是在对不完全的论证画面做反应。因此本章专门论述一个极为重要的附加问题，你必须要问这个问题才能判断推理的质量：有什么重要信息被省略了？

> **?** 关键问题：有什么重要信息被省略了？

接受说服之前，先打个问号

你应该记住几乎任何一个你所遇到的信息都有一个目的。 换句话说，这个信息的组织结构是由别人精心挑选和呈现的，目的就是希望它能从某种程度上影响到你的思维方式。因此你的任务就是判断你自己是否想成为这一目的的傀儡。这个选定的目的常常就是为了说服你。

广告商、教师、政客、作家、演说家、研究员、博主和父母都在精心组织信息来影响你的判断和决定。因此，那些尽力要说服你的人几乎总是将他们的立场置于最强的光线之下。所以，当你发现那些你相信是较具说服力的理由，即那些你正在努力勘探的金块时，较为明智的做法是犹豫片刻，想想作者可能没有告诉你的那些信息，那些你的批判性探询还没有能揭示出来的信息。

这里所说的**重要的省略信息**，是指那些将会影响到你该不该被作者或者演说者的论证所影响的信息，也就是那些影响到你的推理过程的信息。穿插在本章中的都是些说服力不够强的推理的例子，它们说服力不够，并不是因为说出来的不顶用，而是因为省略掉的信息太关键。仔细研读这些例子，注意在每个例子当中找不到省略掉的信息会怎样导致你做出仓促和有可能错误百出的判断。

小贴士：重要的省略信息就是那些影响到推理过程的信息。

不完整的推理在所难免

不完整的推理在所难免，主要有以下几点原因。第一，由于时空的限制。论证不完整是因为持论者并不需要常常去组织这些论证，他们也没有不受限制的空间或时间来展现他们的理由。第二，我们大部分人的注意力持续的时间都很有限，如果信息长得没完没了我们就会觉得厌倦。因此，持论者常觉得有必要让他们的信息尽快传达给目标受众。广告和社论都反映了这两个因素。比如，社论的字数都有特定的限制，论证必须既要引人入胜又要切中肯綮。因此社论作者不得不点到为止，这让人心痒难搔。电视评论员更是出了名的会将极其复杂的问题弄得听上去像小儿科一样简单。他们的时间有限，无法提供足够精准的信息使你能形成一个合情合理的结论。

　　人们难免要省略信息的第三个原因是进行论证的人所拥有的知识总是不完全的。为什么要省略掉某些信息？第四个原因是因为作者直截了当地想要欺骗你。广告商知道他们正在省略关键的信息。如果他们要描述产品当中所含的所有化学成分或不值钱的成分，那你基本就不会购买他们的产品了。每个领域里的专家都有意要省略有关信息，如果公开展示这些信息，那就会削弱他们所提建议的说服效果。如果那些尽力要给你建议的人把你当成一块"海绵"，那么这类省略对他们而言就特别有诱惑力。

　　为什么省略信息变得这样肆无忌惮？第五个原因就是那些尽量给你提建议或想要说服你的人的价值观、信仰和态度常常和你的并不相同。因此，可以预料，他们的推理会受到不同的假设引导，而这些假设和你对同样的问题提出的假设可能会完全不同。批判思考的人看重好奇心和合理性，那些力图说服你的人常常想要打消你的好奇心，鼓励你依靠违反常理的情绪反应来形成你的选择。

　　一个特定的视觉就像马眼睛上所戴的一副眼罩。眼罩让马心无旁骛全神贯注于正前方的道路。但是，一个人看问题的视觉也像马所戴的眼罩那样，阻止他去关注某些特定的信息，而这些被他所忽略的信息对那些从不同参照系进行推理的人却显得至关重要。演员马特·达蒙所扮演的角色在电影《伯恩的身份之最后通牒》里表达了对这个关键问题的理解："不同的东西到底是什么样，主要取决于你坐在什么地方，这真有意思。"除非你看问题的视角同那个力图说服你的人完全相同，否则你就一定要关注那些重要的省略信息。

不完整的推理出现的理由
•时空对论证产生了限制。
•由于注意力集中时间的限制，论证必须尽快完成。
•持论者的知识总是不全面。
•论证常常是为了欺骗。
•持论者常常与你有不同的价值观、信仰和态度。

识别省略信息的线索

你怎么才能识别那些省略的信息？首先你得提醒自己，不管支撑特定的判断或者观点的理由乍一看是多么吸引人，你都必须要再看一眼以便寻找那些省略掉的信息。

你怎么去找，你又到底希望自己找到些什么？首先你得提出一些问题来帮你判断自己还需要哪些额外的信息，然后再提一些准备的问题来找出那些信息。

你可以利用很多种问题来识别相关的省略信息。有些问题你已经学会怎么问，它们才会凸显出这些信息。此外，为了帮你判断可能被其他关键性问题所忽视的省略信息，我们为你准备了一个单子，上面列举了一些重要类型的省略信息，同时列出一些提问的例子来帮助你发现它们。

找到常见类型的重要信息的一些提示

1. 常见的反驳论证

   a. 反对的人会提供什么样的理由？

   b. 有没有研究和所说的研究相冲突？

   c. 有没有备受尊敬的权威人士提供的例子、证词和观点被省略掉，或者支持论证的对立面的类比被省略？

2. 遗漏掉的定义

如果关键词用另一种方式定义，这个论证会有怎样的不同？

3. 遗漏的价值观偏向或者视角

a. 不同的价值观会不会产生处理这一论题的不同方法？

b. 从与说话者或作者不同的价值观出发会产生怎样的论证？

4. 论证中所指的"事实"的来源

a. 这些"事实"的来源是什么？

b. 事实断言是不是由出色的研究或者可靠的来源支撑？

5. 用来获得事实的程序细节

a. 有多少人完成这个问卷调查？

b. 调查的问题是怎样措辞的？

c. 调查对象有没有大量的机会来提供与问卷选项不同的
答案？

6. 收集或组织证据的其他技巧

a. 访谈研究得来的结果和书面问卷调查得到的结果可能有怎
样的不同？

b. 实验室试验会不会产生更可靠更丰富的结果？

7. 遗漏掉的或者不完整的数字、图表、表格或者数据

a. 如果数据包含早期或者后来的证据看起来会不会不一样？

b. 作者有没有故意"拉长"数字让差距显得更大一些？

8. 省略的结果，不管是正面反面结果，短期长期结果，还是提
倡和反对的结果

a. 论证有没有遗漏了提议的行动所带来的重要的正面或反面

结果？代价是什么？好处又是什么？

b. 我们需不需要知道行动对下列任何一个领域的影响：政治的、经济的、社会的、生物的、精神的、健康的或环境的？

9. 当为特殊的预测技巧进行辩护时省略掉预测的失败，或者预测的失误

a. 当"通灵巫师"或者"直觉主义者"推销他们的特异能力时，我们需要追问他们的预测被证明不真实的概率有多少。

b. 我们需要知道经济学家、理财顾问、体育运动赌博人士和政治权威人士预测失败的概率，如同要知道他们成功的概率一样，然后我们才能得出结论说他们拥有特殊的才干。

　　意识到这些具体的类型应该大大有助于你找准相关的省略信息。因为有这么多不同种类的重要省略信息存在，所以，你应该时刻问自己这个一般性的问题："作者或演说者有没有遗漏什么其他信息，而我在判断推理的质量之前必须要知道这些信息？"让我们来检查几个论证，它们都省略了一些上述名单所列举的各种类型的信息，看看每一种省略会怎样导致我们形成错误的结论。每个例子中只有要求省略掉的信息被补充完整你才能避免得出错误结论的危险。让我们看看这个广告的断言。

　　祛痘灵（Zitout）洗面奶祛除95%的深层污垢和油脂，帮助祛除不好看的斑点。

　　我们要不要趋之若鹜地去购买祛痘灵洗面奶呢？请等一等！在诸多省略的信息当中，这个广告没有包含下列任意一个信息：

①其他品牌洗面奶祛除深层污垢和油脂的百分比，也许它们能祛除 99% 的污垢和油脂呢；②单单用香皂清洗可以祛除的污垢和油脂的数量，也可能只要用平常的香皂就可以把脸洗得干干净净；③使用这种特殊产品可能带来的负面效果，很可能里面有些成分会引起皮肤过分干燥或者有致癌危险；④斑点的其他来源，也许污垢和油脂在洗脸时并不是人们最关心的部分；⑤造成斑点的污垢和油脂的分量，也许 5% 仍然能造成足够数量的斑点；⑥这种洗面奶的其他优点或缺点，比如气味、价格、有效时间。广告商省略掉许多关键数据，而你如果想要购买得明智些就需要这些数据。

你有没有明白仅仅因为省略掉的信息的缘故，像"五个医生当中四个都同意""纯天然""无脂""低碳""有利于心脏""头号领衔商标""ADA 认证"以及"没有添加防腐剂"这些广告词可能都很准确但却产生了误导效果？

考虑是否有负面效果

还有一种类型的省略信息识别起来异常重要而又常常被人忽视，我们想在这里特别强调一下：**被提倡的行动的潜在负面效果**，比如使用一种新型药物，建设一所大型的新学校，或者提议减税。我们在这里刻意强调负面效果，因为通常情况下这些行动的提议都发生在支持者宣称他们的意见非常棒的语境下，例如某个医学难题的大幅解决，容貌更好，更多休闲时间，更多教育机会，更长的寿命，更多 / 更好的商品。但是，因为大部分的行动有这样广泛的正面和负面影响，我们需要问一问：

• 社会的哪一部分并没有从提议的行动当中受益？谁蒙受了损

失？受损的人对此有什么话说？

• 提议的行动对权力分配有什么影响？

• 这个行动对我们的健康有什么影响？

• 这个行动怎么影响我们相互之间的人际关系？怎么影响我们与自然环境之间的关系？

对上述每一个问题，我们都不要忘了问一句："这个行动潜在的长期的负面效果是什么？"

 小贴士：在考虑省略掉的信息时要记住问一句："这个行动潜在的长期的负面效果是什么？"

为了展示一下提出这些问题的用处，让我们思考下列这些问题：建设一所面积大的新学校有什么可能的负面效果？你有没有考虑到以下这些问题？

• 破坏环境。比如，建造这样一所新学校会不会涉及砍伐一片森林？当地的野生动物失去一片栖息地之后会造成怎样的影响？

• 教育质量的变化。如果新学校将其他学校有经验的教师或者有才干的学生都吸引过去了怎么办？如果新学校吸纳了大部分拨付给当地学校的教育经费，而让其他学校享受不到同样的资金怎么办？

• 房地产价值的影响。如果这座学校相对于全国标准来说做得并不怎么样，那么这会对周边社区房屋的房地产价值产生怎样的影响？

• 增加的税负。新学校的资金是怎么筹集的？如果新学校是一所公立学校，新学校的开张可能会导致当地社区不动产税税率的增加，这样才能帮助支撑学校的运转。

这样的问题能让我们在追随被提倡的行动的浪潮时停下来思考思考。

面对信息缺失的现实

仅仅因为你能要求别人提供重要的省略信息并不能保证别人就能给你一个满意的回答。很可能你探究的问题根本就得不到回答。不要绝望！你已经尽力了。你要求得到这些亟须的信息然后你才能做出决定，现在你必须在找不到缺失的信息时确定你是否还有可能得出一个结论。我们早先曾警告过你推理的过程从来都是不完整的。这样，**自动声明只要信息仍然找不到你就不能做出决断，那就会阻止你形成任何观点。**

轮到你自己写时，可得吸取教训

省略信息是难以避免的。我们并不期待你接受我们在本章前面列举的每个问题。相反，在你的写作当中，我们希望你自己做出决定。你得自己判断什么样的省略信息是最重要的。当一条省略的信息能够强烈影响到读者对你的论证所持的立场，那么这个信息就非常重要。你必须问自己："如果我的读者知道这个信息，这会怎样影响他们对我的论证的反应？"你觉得它的影响越大，避免在写作中省略这样的信息就显得越重要。

尽管我们不能替你做决定，但我们还是有一些建议给你。它们和我们早先提供的一些技巧非常相似。让我们假设你在尽力判断是不是省略了你本该包含进去的信息，比如一个反驳的论证或者一项和你的证据相冲突的研究。做出判断的一种方法就是回到你原来的研究当中。他们在争论的到底是什么关键点？比如，如果你在写作谁本来应该赢得 2010 年度奥斯卡最佳画面奖，你可能会完全沉浸在顶尖评论家对自己最喜欢的作品和为什么喜欢这些作品的相互争论中。你可能意识到因为自己的疏忽大意你没有提到《社交网络》，这部将脸谱网的创立经过编成小说之后所拍的电影，有很多评论家认为它是角逐这个奖项的热门影片。即使你不同意这些结论，你知道这些评论家的立场很有影响。你还知道你无须与读者分享安吉丽娜·朱莉和约翰尼·德普主演的影片《致命伴旅》的优点。基于蹩脚的整体评价，你判断任何提名这部电影去角逐最佳画面奖的提议很可能都显得微不足道。

我们的另一个建议你听起来应该也很熟悉，请利用你生活当中的各色人等，尤其是那些持有不同的价值取向和世界观的人。问问他们需要什么样的信息才会接受你的结论。这样的谈话也许能引导你发现自己省略掉的重要信息。同样的道理，你可以通过创造性的思考来独立探究这个问题。假设一个各色人等组成的读者团，尽量把自己放在他们的位置。比如，想象一个不同政治派别的读者或者不同文化特征的读者，或只是有一套不同的生活重心的人。从另一个角度，假设一下那个人在评价你的论证之前想获得什么样的信息，他们能不能在你的作品中找到这些信息呢？

使用这个关键问题

一旦你想到一个论证中存在遗漏的信息，你应该怎么做呢？第一个符合逻辑的反应就是去寻找这个信息。但是通常情况下你会遇到一定的阻力。作为批判性思考的人，你的选择就是由于缺

失的信息你要表达你对这个论证的不快，不断搜寻你所需要的这
个信息，或者谨慎地同意这个推理，理由是这个论证比他的对手
的论证要好。

———————————————— 来，做做思维体操 ————————————————

? 关键问题：有什么重要信息被省略了？

下面例子中的每篇文章都有重要的信息缺失了。将你要问的问
题列出来，然后去问写这篇文章的人。解释每种情况下为什么你所
寻找的信息在你尽力判断这篇推理文章的价值时显得非常重要。

⊙ **第一篇**

最近一项研究显示戒酒可能会缩短人的寿命，更加引人注目
的事实是禁酒主义者的死亡率要远远高于那些酗酒者。适量饮酒，
即界定在每天喝 1 ~ 3 次酒，常常和最低的死亡率联系在一起。
在长达 20 年的研究周期里，那些目前不喝酒的人死亡率最高，不
管他们过去喝不喝酒，酗酒者死亡率排第二位，适当饮酒的人死
亡率最低。样本包含了 1 824 名参加者，在 20 年研究周期的一开
始他们的年龄分别是 55 ~ 65 岁不等。死亡率如下：从来不喝酒
的人为 69%；酗酒者为 60%；适量饮酒的人为 41%。研究人员表
示酗酒者比滴酒不沾的人寿命要长，一个重要原因是社会交往活
动所起到的润滑效果。

⊙ **第二篇**

克隆技术可以在医疗领域取得很多积极的突破。如果我们适
当地发展克隆技术，人们就无须因为缺少器官捐助者而死亡了。
有了克隆技术，研究人员可以为那些急需做器官移植手术的人人

工培育新器官。此外，因为这些器官是从病人自己的人体组织当中克隆出来的，根本就不会再出现病人的身体排斥移植的器官这种情况。克隆的器官可以在没有头颅的身体中进行培育，这样就不会牵涉到要死亡一个人来拯救另一个人的生命。克隆的另一个优点是它将有助于人们战胜疾病。通过克隆产生的某些蛋白质可以用来战胜诸如糖尿病、帕金森症和囊性纤维化这样的疾病。

⊙第三篇

美国是世界警察。奔赴需要我们帮助的国家并且看管好这些国家是我们的职责所在。限制我们和其他国家互动的一个有效方法就是在这些国家鼓励民主的发展和自由市场的建立。不管怎样，现代的西方民主国家还没有兵戎相见、相互残杀，它们都是民主社会，拥有自由市场的结构。而且，看看德国统一时过渡的过程有多容易。民主制度顺利推行，原来分裂的西德与东德和平共处相安无事。实际上，德国经济在过渡时期也极为健康强劲。现在德国的国内生产总值在全世界范围内排第三位，一切都是因为民主制度和资本主义。

──────────── 给个提示 ────────────

⊙第一篇

结论：酗酒者比不喝酒的人寿命更长，适量喝酒的人寿命最长。

理由：最近一项研究发现了寿命的这种排名。

省略的信息分析。这三群人相互之间还在哪些方面有所区别，比如说社会经济阶层和生活中的压力源，而这些区别有可能导致死亡率之间的不同？适量饮酒和过量饮酒有什么潜在的负面效果？有没有可能对记忆、婚姻满意度和工作表现产生影响？这些结果有没有在其他类型的研究当中发现？研究的参与对象都是怎么挑选的？比如，自愿参加这项研究的人和随机抽取的人有没有什么不同，这样会不会限制概括的效度？怎么去衡量喝酒的频率？这样的衡量准不准确？

⊙ **第二篇**

结论：克隆可以带来积极的医学效果。

理由：（1）克隆可以用于器官移植。

（2）克隆可以用来帮助人类战胜某些疾病。

首先，这种推理促使我们去追求一项新技术 —— 克隆人类，而且只援引了它的好处。作者省略了可能存在的不利之处。我们需要综合考虑其有利之处和不利之处。使用克隆的人体器官可能带来什么严重的副作用？克隆器官是不是和正常器官一样稳定？克隆技术对于人类的决策会带来什么样的正面和负面作用？如果人们知道新器官可以被任意培育出来取代现有的器官，他们会不会对身体和器官不再那样精心呵护？克隆技术的获得会不会导致人们为了不可告人的目的而滥用克隆技术来制造完整的克隆人？人们会不会克隆出自己，让地球上现有的人口负担又加重一层？这项技术的优点或许远远大于其缺点，但是我们需要明白其优缺点，这样才能判断这个结论的价值所在。

此外，让我们进一步来看看和这项研究相关的缺失信息。你有没有发现没有一项研究在这里被引用？实际上，论证没告诉我们在美国根本没有发生过一例克隆技术应用于人体的实验。因此，所有这些有关克隆技术的优点的讨论都是假设而已。真实的实验会不会证明这些假设的优点确有可能存在？我们根本不得而知。

Chapter

第 12 章

能得出哪些合理的结论

到了这个阶段，你应该已经完全学会披沙拣金的功夫了，也就是分清坚实的理由和牵强的理由。

请思考下面这个论证：

> 大型企业花大量时间和金钱来对儿童进行广告轰炸。儿童节目中精心设计了各种商业广告，竭力向他们推销最新款的玩具，告诉孩子们只有得到这些新玩具他们才能活得幸福快乐。向孩子做广告这种行为简直令人发指，应该被宣布为非法行径。向孩子做广告，而孩子根本不能客观评价他们看到的广告，实际上是给他们的父母带上了紧箍咒，要么对孩子说"不"让孩子老大不高兴，要么对孩子的各种要求有求必应，最终宠坏孩子。

你会不会敦促本地的议员宣布针对儿童的广告为非法？假设你检查过作者的理由发现它们都很确凿可信，还有没有其他的结论可能和作者这个结论一样与这些理由契合无间？本章将会提出几个可能存在的备选结论。

你很少遇到一种只能从中推断出一个合情合理的结论的情形。在第 9 章当中，我们讨论过替代原因的重要性，其重点是对于一个因果结论来说可能存在不同的因果依据。但是本章我们主要关注从单独一套理由中可以推断出多个**备选结论**，它们都有可能是这套理由得来的结果。

因此，你必须要确定你最终采纳的结论最合乎情理，和你的价值取向最吻合一致。一旦你发现了其他的备选结论，你就能更加有备无患地从一大堆可选的结论当中发现那个最说得通的结论了。

> **?** 关键问题：能得出什么合理的结论？

各种假设和多个结论

试图用来支撑某个事实断言的证据，或是用来支撑某个规定性结论的一堆过硬的理由，都可以解释成不同的含义。理由一般并不都是一目了然和不言自明的。我们已经不止一次地见到，**结论只有在某人对理由的含义进行特定的解读或者假设之后才能得出来。**

如果你对理由的含义进行不同的推测，那你就会得出不同的结论。因为我们所有人都具有不同水平的认知准确度、不同的参照体系和先验知识，对哪些假设更为可取我们不断表达不同意见。我们从理由当中得出不同的结论是因为我们的背景各不相同，目标千差万别，这样我们在决定将理由和结论连起来的时候必然会被不同的假设所吸引。

二分式思维方法：妨碍我们考虑多种可能性

很少有重要的问题我们可以用简简单单的"是"或斩钉截铁的"不是"来回答。当人们习惯用非黑即白、非是即否、非对即错、非正即误式的方式来思考问题的时候，他们就是在应用**二分式思维方法**（dichotomous thinking）。这种类型的思维方式往往将一个可能存在多种答案的问题假设成只有两个可能的答案。这种喜欢看待和提及一个问题的两个方面，仿佛天下所有问题都只有两面的习惯对我们的思维有毁灭性的破坏效果。通过将我们能加以考虑的结论局限在仅仅两个以内，细心推理可衍生出的无穷可能性就会急剧减少。

前面我们讨论虚假两难选择这种谬误的时候遇到过这种二分式思维。这种类型的谬误，以及一般的二分式思维，因为过度限制我们的视野而破坏了推理的进程。我们以为考虑了两个可选的决定以后就万事大吉了，因此忽略了很多其他的选择，从而错过了做出一个其他选择有可能带来的积极后果。

运用两分法思考问题的人常常是一成不变，容不得异议存在，因为他们不能理解语境对特定答案产生的重要性。为了让这一点更明白，请你想象下面的情形：

你的室友让你帮他设计一份生物学的论文。这份论文要设法解答以下问题："科学家应不应该继续从事干细胞研究？"在他看来，这份论文首先需要他选择一个"该"或"不该"的<u>立场</u>，然后加以论证。

你已经知道二分式思维可以通过限定结论的条件，将各种结论放到具体语境中来加以避免。这种限定的过程需要你对任意一个结论提出以下问题：

（1）结论在什么时候是精确的？

（2）结论在什么地方是精确的？

（3）结论为什么或为了什么目的才是精确的？

然后你开始将这个过程应用到这份论文中。

当你解释在某个特定的时间、特定的环境里，为了利益最大化或目标最大化，人们不得不允许干细胞研究，你的室友因此而感到越来越沮丧，你会不会觉得很惊讶？他本来是在找"该"或"不该"，而你则给他带来了较为复杂的"这取决于……"。

一成不变的二分式思维限制了你决定和选择的范围。更糟糕的是，它过度简化了复杂的情况。结果采用二分式思维的人很容易变得糊里糊涂不知就里。

下面这个部分展示了二分式思维带来的局限性结果。

两面还是多面

在我们查看几个存在多种潜在结论的论证之前，让我们先确保你已经体会到对大多数重要的争论而言，出现大量的结论是理所当然的。下面是两个当代的问题：

（1）美国应不应当涉足其他国家的维和行动？

（2）莎士比亚是不是有史以来最伟大的剧作家？

乍一看，这些问题以及很多类似的问题好像是在寻求一个"是"或"不是"的答案。但是，一个限定条件的"是"或"不是"往往是最佳的答案。用"也许"或者"这取决于……"进行回答的优点就在于它迫使你承认你所知道的一切还不足以给出确定无疑的回答。但在你避免了一个确定答案的同时，你也形成了一个不确定的决定或者观点，需要进一步投入时间精力付诸行动。寻找可以提高对你的观点的支撑力度的额外信息是明智的行为，但是到一定程度你必须要停下来做出决定，即使你愿意为之辩护的最有力的回答是"是的，但是……"。

现在回过头去看前面刚提出的两个问题。问一下你自己，什么样的结论最有可能回答每个问题。自然，简单地回答"是"或"不是"就可以得出两个结论。但还有没有其他可能？是的，**还有很多种可能**！让我们来看看可以回答第一个问题的一小部分可能的答案。

美国应不应当涉足其他国家的维和行动？

- 应该，当这个国家和美国有千丝万缕的联系时，比如沙特。
- 应该，如果美国被看成唯一的超级大国，就有责任维护世界和平。
- 应该，如果美国的角色定位于维护和平而不牵扯到一场战争。
- 应该，当我们海外的经济利益濒临危险的时候。

- 不应该，美国国内亟待处理的问题已经数不胜数，根本不应该在其他国家浪费时间。

注意在每种情况下我们都添加了一个必要条件，这样才能证明这个结论。在缺乏任何数据或定义的前提下，以上七个结论（包括简单地回答"应该"和"不应该"这两个结论）中的任意一个都可能是最合理的。而后面五个结论只是第一个问题的诸多可能结论中的一小部分。

寻找多个结论

本部分主要包括一个论证指向多个结论，这些结论都可以从论证的理由当中推断出来。这部分的目的是为了在你寻找多个结论时为你提供一个可以借鉴的模型。我们先给你提供论证的结构，然后再指出多个备选的结论。你先要研究这些理由，不要急于去看结论，尝试从这些理由中推断出尽可能多的结论。你大可一直使用前面提到的"什么时候"、"什么地方"和"为什么"等问题来帮助你得出备选的结论。

> **结论：**美国应该继续使用死刑作为一种惩罚罪犯的形式。
>
> **理由：**（1）没有死刑，有些人犯了罪就没办法处罚，比如说已经判了终生监禁的人伤害监狱看守或者同监的犯人。
>
> （2）一个人故意剥夺了他人的生命，只有以死偿命才够得上公平。

让我们先接受这些理由，当它们符合情理，然后开始讨论。我们怎样来看待这些理由？我们在作者的结论中已经得到一个回答：继续使用死刑。

但是即使我们接受这两个理由，我们也不一定就能得出同样的结论。基于这些理由其他的结论至少一样说得通。例如，由此我们也可以推断出，我们应当继续使用死刑，但是仅仅限于其人已经被判处终生监禁在监狱服刑，而且杀害了监狱守卫或另一名犯人。或者说，这些理由可能显示我们需要保留死刑，目的是在囚犯伤害守卫或其他囚犯的情况下使用。这个备选的结论不仅被上述理由从逻辑上所证明，它还引出一个和原始结论全然不同的新结论。

某个条件下才合理的结论

如果你回头重温一下本章当中讨论的所有备选结论，你就会注意到每个备选的结论都有可能成立，这是因为我们缺少了某些信息、定义、假设或者分析这些理由的人的参照系，所以，我们需要谨慎地使用**条件句**（if-clauses）来创造多种结论。在条件句中，我们陈述一个假设的条件，目的是帮助我们得出某个特定的结论。注意使用条件句让我们能得出某个结论，而不用面对某个特定的争论假装知道我们本来不知道的一切。

当你在结论前面使用条件句时，你就指出了这个结论是建立在你所不确定的特定断言或假设的基础上。为了理解我们的意思，请看看下面作为样本的可能会引导出结论的条件陈述句。

（1）如果税收减免政策是针对那些低收入人群的，

那么……

（2）如果一部小说包含一个极易辨认的正面人物，一个一望即知的反面人物，以及一个扣人心弦的高潮，那么……

（3）如果汽车制造商能制造出油耗更低一些的汽车，那么……

创造条件句特别有助于为评价型的论证找到合理的结论，比如说那些评价音乐、艺术、大学或者总统演说的质量怎么样的论证，因为这些论证需要我们在使用什么标准来进行评价方面表明立场。

条件句为你提供了多种结论，在你对争论做出评判之前你应该先评估一下这些结论，它们同时也增加了可能的结论的范围，从中你可以选择出自己的立场。

以解决问题为导向的可能结论

我们经常遇到以下面这种形式提出的问题：

> 我们该不该采取甲措施？
> 甲措施是不是可取？

这样的问题自然引出二分式思维。但是，用这种方式提出的问题常常掩盖了一个更广层次的问题，"我们应该怎样处理乙问题？"（常常是一些棘手的问题。）用后面这种方式重新表述问题就让我们创造出特定形式的多种结论：从理由提出解决问题的方法。这样创造出多种解决方法大大增加了我们思维的灵活性。

让我们查看下面这篇文章，展示一下创造多种解决方法作为可能的结论的重要性。

> 我们要不要关闭市中心地区的酒吧？答案必然是一句振聋发聩的"要！"自从这些酒吧开业以来，已经有十几个年轻的大学生深受酒精中毒的折磨了。

一旦我们把问题变成"我们应该采取什么方法来解决一部分大学生深受酒精中毒折磨"这个问题，很多可能的解决方法就涌上我们的脑海，这些解决方法有助于我们形成对这个问题的结论。例如，我们可能得出这个结论："不，我们不需要关闭市中心的酒吧，相反，我们应该严格执行饮酒年龄的限制，对卖酒精饮料给未成年人的酒吧施加罚款。"

当一个规定性论证中的理由是在表达实际存在的问题时，**寻找这个问题不同的解决方法就是这个论证可能得出的结论。**

辨认备选结论的一些提示

（1）努力找出从理由当中可以推导出的尽可能多的结论。

（2）使用条件句来限定备选的结论。

（3）重新将论题表述为"我们该怎样来处理乙问题"。

让思维更加灵活

如果逻辑、事实或者研究本身可以自圆其说，我们就会用特定的方法来学习。我们的任务就是请教另一个人，也许是老师，让他们来告诉我们应该持有的看法。具体来说，我们就会去寻找逻辑和事实一统天下的那一套极易辨认的看法。

虽然我们对于逻辑和事实表示出极大的敬意，作为形成结论的向导，我们也不能过分夸大它们的价值。它们只能引导我们走到一定地步，然后我们就不得不使用逻辑和事实为我们提供的那些帮助，自己走完通向确定看法的剩余道路。

要使用逻辑和事实为我们提供的那些帮助，第一步就要寻找那些有可能存在的与我们所知的逻辑和事实相一致的各种结论。这种搜寻通过一种重要的方式解放了我们。它将我们从上面所勾勒的那种刻板僵硬的学习模式中解放出来。一旦我们认识到种种可能存在的结论，我们每个人都会体验到个人选择得到提升的那种激动。

不是所有的结论都生来平等

我们要提醒你一下，得出多种不同的结论常常随之而来的那种劳有所获的感觉，可能会诱使你对所有结论一视同仁，认为自己一旦把所有结论罗列出来就已经万事大吉。但是你要记住有些结论可能比其他结论更能站得住脚，而最值得相信的结论应该是那些最能影响到你对作者的推理进行反应的那些结论。实际上，针对全球变暖、伊拉克战争的起因、远程学习的明智之处等论题的滔滔雄辩，削弱它们的一个聪明的方法就是说一句：许多专家不同意你这个观点。

这样一个表述的内在含义就是一旦分歧确立，那么一个论证就和另一个论证地位相等。因此，想要讨论这个问题的新的努力就失去了基础。但是这样的方法对谨慎的批判性思维是极为无礼的。批判性思考的人有一套细心推理论证的标准，这些标准可以用来识别最强有力的推理。

更多可能的结论，更多可能的自由选择

理由很少会只有一种含义。在评估一整套理由以后，你还要判断什么结论与争议中最好的理由最为契合。为了避免你寻找最好的结论时出现二分式思维，你可以使用前面提到过的"什么时候"、"什么地方"和"为什么"等问题来为这些结论提供限制的语境。

为结论添加的限制将会让你远离二分式思维。条件句为表达这些限制提供了技巧。

例如，让我们再来看一下本章一开始提到的限制针对儿童的广告的那个论证。什么样的备选结论可能与给出的理由相一致？

作者的结论：面向儿童的广告应该被宣布为非法。

备选的结论：1. 如果企业被当作人一样对待，那么它们也有言论自由的权利，其中就包含了广告权；因此，它们做广告的权利不应该受到限制。

2. 如果可以证明儿童评价不了他们所看到的东西，会深受他们看到的广告的影响，那么面向儿童的那些广告理应宣布为非法。

3. 如果提议的立法旨在限制面向儿童的广告的内容，那么政府不应该宣布这类广告为非法，而应该在规范面向儿童的广告的内容方面扮演积极主动的角色。

根据作者提供的理由，很多额外的备选结论有可能成立。如

果我们不考虑这些备选的结论，不把它们作为我们形成自己的看法的潜在基础，那我们的决策质量就会大大缩水。

 来，做做思维体操 ————————————————————

? 关键问题：能得出什么合理的结论？

请找出以下每个论证中可以从其理由得出的不同结论。

⊙第一篇

为大量的食客提供伙食并不是件容易事，但是学校食堂应该尽量满足不同口味的人的饮食需求。整座校园的学生都异口同声地抱怨，不仅抱怨食堂饭菜的质量，而且抱怨食堂饭菜千篇一律无可选择。其实食堂所需做的只是提供种类繁多的饭菜来取悦更多的学生而已，这样就能让更多的学生选择在食堂就餐，而不用去校外觅食。学校后勤服务每天没有提供种类丰富的伙食选择，就是没有尽到为学生服务的职责。

⊙第二篇

我从来就没有做过那样强悍的跑步者，但是，当我购买了这双新的水星牌训练鞋，我的跑步能力大大提升了。现在我能跑得更快更久，跑过以后脚跟也不那样疼痛了。《跑步者文摘》（ *Runner's Digest* ）也说水星牌运动鞋是市面上最好的运动鞋之一。所以，想要跑步的人都应该买一双水星牌运动鞋。

⊙第三篇

十几岁的少男少女同性恋，对家人公布性取向可能是个压力重重、情绪激动的过程。最近的研究显示家人的接受和支持有助于这些少年人避免抑郁和自杀的倾向。一项针对 245 名男同性恋、女同性恋、双性恋和变性人的青少年及其家属的调查显示，那些获得家人最大的支持的青少年，比如说父母公开探讨孩子的性取向，与那些家人不太愿意接受这个事实的青少年相比较，在研究的六个月期间里，前者报告有抑郁症症状的可能只有后者的一半。

—————— 给个提示 ——————

⊙第一篇

结论：学校食堂没有正确履行为学生提供食品的职责。

理由：（1）学生对饭菜质量非常不满。

（2）每天提供的饭菜选择范围有限。

（3）更多选择会让学生心情舒畅，让他们愿意留在学校用餐。

要致力于发展这项批判性思考的技能，我们首先需要假设其理由站得住脚。如果我们接受这些理由，认为它们都很可靠，那么我们也能合情合理地推断出下面这个结论：

如果食堂服务的目标是提供种类繁多的饭菜，同时还确保每天用餐结束后浪费的饭菜最小化，那么他们目前为学生提供的饭菜选择就并没有让学生失望。

如果食堂的目标是让校园饭菜的价格维持在最低水平，而提供一份丰富的菜单会导致饭菜价格上涨，他们对学生就不算没有尽职尽责。

注意，和原始结论中食堂所受到的负面描述相比，备选结论将食堂置于完全不同的评价中。

⊙第二篇

结论：所有想要跑步的人都应该购买水星牌运动鞋。

理由：（1）作者购买了水星牌运动鞋以后，他的跑步时间大大增加了。

（2）《跑步者文摘》说水星牌运动鞋是市面上最好的运动鞋之一。

首先注意"所有的"这个词显示出作者可能存在过度概括，需要加上限定词。

基于这些理由，我们可以得出好几个合理的结论：

（1）和作者情况差不多的跑步者应该考虑购买水星牌运动鞋。

（2）如果一个人买得起水星牌运动鞋的话，那么对那些想要跑得更快更久的人而言水星牌运动鞋是个很棒的选择。

（3）如果一个跑步者对他现在训练时穿的运动鞋不满意，那么购买水星牌运动鞋很可能可以提高他的跑步效果。

最后的话

批判性思维是一个工具，它能助你一臂之力。为了实现工具的作用，批判性思维可能让你如虎添翼，也可能让你折戟沉沙。既然你耗时费力苦练批判性思维能力，我们奉劝你最大限度地利用批判性思维带给你的各种态度和技能，并以此来结束本书所有章节。

你怎样向别人传达这种感觉，即你的批判性思维是一种友善的工具，它可以改善演说者和听者、作者和读者的生活质量？和其他批判性思考的人一样，我们也一直为回答这个问题而孜孜以求不息奋斗。但我们发现最有用的一个办法就是大声说出你的关键问题，好像你对此充满了好奇。如果总是摆出这样一副态度说："哈哈，我可逮着你的一个错了。"那没什么比这个对有效利用批判性思维更为致命的了。

作为临别赠言，我们想鼓励你将批判性思维与不同的论题结合。批判性思维不是只开花不结果的业余爱好，只能在教室里摆摆架子，在考试时临阵磨枪，或者要显摆你智力超群时拿来充充门面。它是通情达理的人的坚实基础。信仰固然很奇妙，但是信仰的结果却寓于我们随后的行为之中。在你发现一个问题的最佳答案之后，请依据这个答案采取行动。让批判性思维成为创造新身份的基石，你会为这个新身份而感到骄傲自豪。让批判性思维为你效力，为你觉得自己乐在其中的那个集体效力。

期盼有朝一日我们能从你今日学会的知识和技能中大大受益。

吴维库和谐领导力系列

情商与影响力（第4版）

ISBN: 978-7-111-38761-9 定价: 30.00元

阳光心态（第3版）

ISBN: 978-7-111-38724-4 定价: 25.00元

以价值观为本（第2版）

ISBN: 978-7-111-38723-7 定价: 35.00元

吴维库博士

清华大学经济管理学院战略与政策系教授，博士生导师。

1994年起在清华大学经济管理学院任教。曾在美国宾西法尼亚大学沃顿商学院进修公司战略、竞争战略及领导学，在哈佛商学院和香港科技大学恒隆管理研究中心研修。

主要研究与教学领域是《战略管理》和《企业领导学》，著有《企业竞争力提升战略》、《领导学》等学术著作，以及畅销书《阳光心态》、《情商与影响力》、《以价值观为本：和谐组织纲领》，经常受邀为企业及高校演讲，其阳光心态学说及和谐领导力体系影响和激励了近百万读者。

吴老师的和谐领导力体系由三个模块构成：

- ◎ 阳光心态:实现自我与自我的和谐
- ◎ 情商与影响力:实现自我与他人的和谐
- ◎ 以价值观为本：实现个人与组织的和谐

各种"治愈"各种"症"

走出抑郁症
作者：王宇 ISBN：978-7-111-38983-5 定价：32.00元

终结拖延症
作者：威廉·克瑙斯 ISBN：978-7-111-35692-9 定价：36.00元

ADD的人生整理术
作者：朱迪丝·柯尔伯格 ISBN：978-7-111-44872-3 定价：35.00元

我是ADD，怎么了？！
作者：凯特·凯莉 ISBN：978-7-111-45131-0 定价：49.00元

住在我心里的猴子：焦虑那些事儿
作者：丹尼尔·史密斯 ISBN：978-7-111-45156-3 定价：35.00元

每天学点时间整理术
作者：马克·伍兹 等 ISBN：978-7-111-42924-1 定价：29.00元

认 知 大 脑

重塑大脑，重塑人生

作者：诺曼·道伊奇 ISBN：978-7-111-48975-7 定价：45.00元

奥利弗·萨克斯之后最会讲故事的科学作家；
神经可塑性领域不可取代的经典科普作品

心思大开：日常生活的神经科学

作者：史蒂文·约翰逊 ISBN：978-7-111-48633-6 定价：35.00元

"数字化未来十大思想家"、TED演讲者史蒂文·约翰逊经典作品，
妙趣横生地讲述大脑科学与我们日常生活的关系

上脑与下脑

作者：斯蒂芬 M. 科斯林 ISBN：978-7-111-48077-8 定价：35.00元

世界顶级认知心理学家、哈佛大学教授基于全新的脑科学研究
成果，帮助你找到自己的认知模式

脑内乾坤：大脑也有性别

作者：安妮·莫伊尔 ISBN：978-7-111-48262-8 定价：35.00元

性别差异反映出男女大脑设定上的不同，台湾中央大学认知神经
科学研究所所长洪兰教授推荐

元认知：改变大脑的顽固思维

作者：大卫·迪绍夫 ISBN：978-7-111-48059-4 定价：35.00元

改变大脑顽固思维、解决负面情绪和实际问题的自助技巧

思维与学习